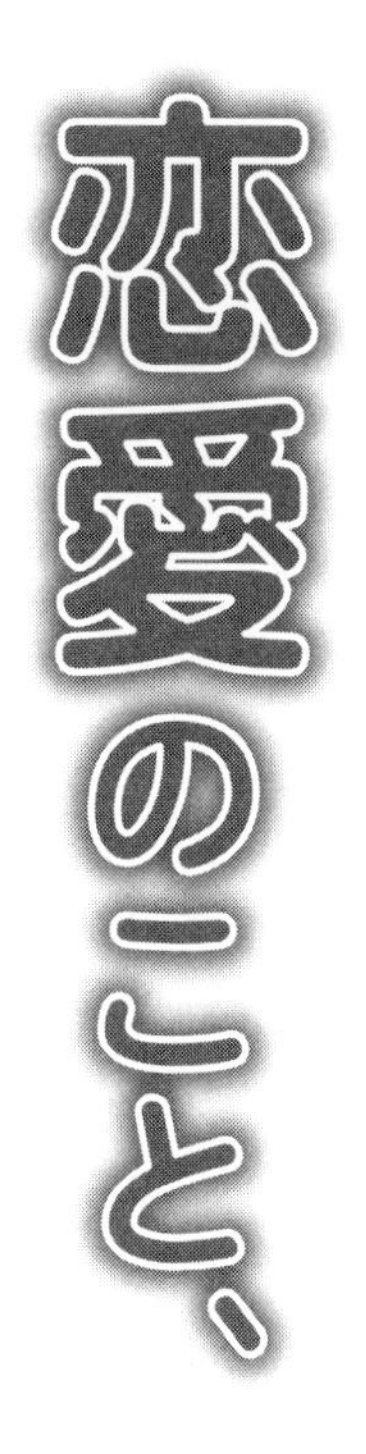

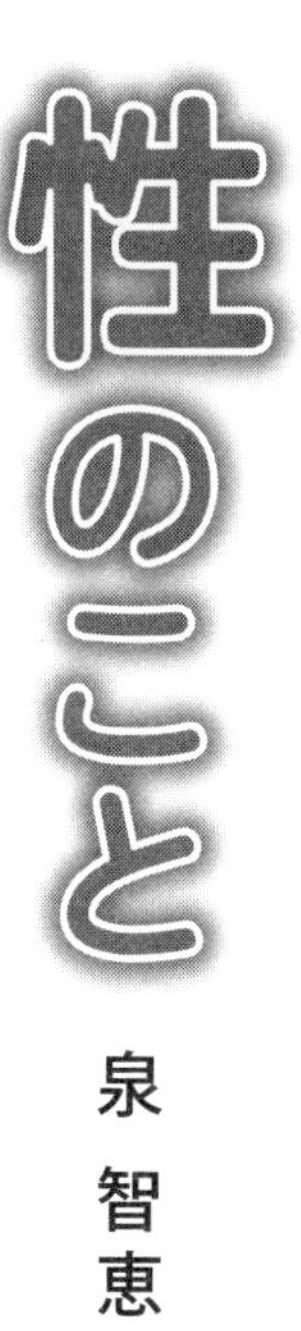

泉 智恵

ボーダーインク

はじめに

私には現在9歳の娘がいる。

私がちょうど彼女くらいの年齢の時、「赤ちゃんはどうやって生まれるのか？」と疑問に思ったことがある。

母に聞くと母は、「結婚したら生まれる」とだけ答えた。

でもその後、通っていたピアノ教室の先生のお腹に赤ちゃんがいると聞いた。それでこれから結婚するんだと。

「おいおい、聞いていた話と違うぞ!? 順番逆だぞ？」と思い、もう一度母に「どうして先生は結婚していないのに赤ちゃんができたの？」と聞いた。

母は「どうしてかなぁー」と完全にはぐらかした。

しばらくたって、小学校で性教育の授業があった。ほとんどの子供たちが興味津々だった。当然私も。

授業で習ったものをまとめた冊子と生理用品のサンプルを家に持ち帰った。学校ではなんだか恥ずかしくてまともに見られなかったので、家でゆっくり読んでみようと思っていた。すると次の日それらがなくなっていた。

どうやら母が「まだ早い」と言って性教育の冊子もナプキンもすべて隠したらしい。

小学校高学年になると、女の子は好きな男子の話、いわゆる「恋バナ」をすることが増えた。

うちの家では母は恋愛の話をしたがらなかった。

我が家はその当時、キリスト教の律法主義的な教会に通っていたせいもあって、なんとなく恋愛はダメなことで、ましてや性の話などするものじゃないといった雰囲気があった。

しかし、情報をシャットアウトすればするほどそこに興味を持つのが本能。

そこからはもう「大人は答えてくれない」ものだと思い、耳に入ってくる情報を自分の都合の良いように解釈し、間違った知識と好奇心を得てしまった。

私も人並みに恋愛をし、相手を傷つけてしまったり、自分も傷ついたりと様々な経験をしてきた。そして結婚し、出産。娘が生まれた。

自分の娘が、誰かを好きになったり、また性に興味・疑問をもったときには、本人が望むなら避けずにしっかりと話し合いたいとずっと思っていた。でも娘はまだ小学3年生。娘がコンパに行くころには（その頃にはコンパなんて言葉すらダサいのかもしれない）、私は立派に初老の道を進んでいるころだろう。私も下手すりゃボケてたりするだろうし、何よりもそんなヨボヨボしわくちゃのばばぁから「恋」だの「愛」だの聞いても気持ち悪がられそうだ。

なので、今まだお母さんが恋愛していたころの記憶がほんのりあるうちに、娘に伝えたいことをまとめておくことにした。

そして、もしこの本を手に取ってくれたどこかの娘たちよ。

恋愛や性のことで「知りたい」と思う疑問が生まれたり相談事があるときには、一人でモヤモヤとすることなく、あなたの周りに気軽に相談できる大人がいてくれることを心から願います。

第一章　恋のキラキラ成長期　7

第二章　恋のリアル臭（しゅう）　31

第五章　性教育はセックスの話だけではない　113

第一章　恋のキラキラ成長期

誰かを好きだと思う気持ち

現在9歳の私の娘は、人を好きになることに恥じらいも戸惑いもない。

本能のまま「○○くんが好き！」とはっきり言ってくれる。素晴らしいことである。

彼女から最初に「好きな人がいる」という言葉を聞いたのは保育園に通っていた時。

「○○くんは××ちゃんと結婚する」といった具合にクラスで言い合うのがブームになっていた様子。

娘は1つ年上の男の子A君と「結婚する」と言っていた。なんとも可愛い（はい、親バカ）。

どんな感じでその男の子と接しているのかな？と思っていた矢先、お迎え時に娘が廊下に並べてあるみんなのリュックをみて「これ！A君のリュック！」と叫んでほおずりしていた。

……うん、その愛情表現は少し怖い（笑）。

幼稚園に通い始めると、そこでもわりと早い段階でB君という好きな子ができたらしく、お迎えに園へ行くと園庭から娘のでっかい声で「B君、アイラブユー」と聞こえてきた。

……うん、その愛情表現はストレートだね（笑）。

その後私がたまたまB君のお母さんとショッピングセンターで偶然会ったことを話すと、「私がB君のこと好きってちゃんと伝えた？」と言われた。

……すいません、伝えてません。軽く挨拶して世間話した程度です。

そして小学校に入学し、これを機にまた新たに好きな人ができました。

と、まぁ好きな男の子ができるとわりと申告してくる娘。

これまでの彼女にとっての「好き」という感情とその表現は子供らしくとても微笑ましいものです。これが年齢を重ねてもう少しお姉ちゃんになってくると、好きなのに「恥ずかしい気持ち」が出てくることもあるでしょう。

好きな人の前だと妙に恥ずかしくなる。とか、好きな人がいることがまずなんだか恥ずかしい。とか。

人を好きになるという気持ちは自然なもので、それを人に言う言わない、表に出す出さないは自分の好きなようにしたら良い。

ただ、愛する娘よ。

「好き」という本能的な思いはなにも恥ずべきことではないのだぞ。

誰かを「好きだ」という気持ちは宝石よりもキラキラしていて、繊細だけど、自分の原動力にもなりえるほどすごいエネルギーを持つこともある、とても大切なもの。

自分を愛し、周りの人にも愛を持って接していこうと優しくなれるパワーだって生まれちゃうほど、素晴らしいことなのだ。

＊　＊　＊

片思い中の手作りプレゼントは基本ＮＧである

好きな気持ちを相手に伝えるために、相手の誕生日やバレンタインに贈り物をしよう！と、思ったら、まず手作りのものは考えないでいてあげよう。

一昔前……いや、もう大昔か？

『むかーし、むかし、あるところに好きな相手に手編みのマフラーだかセーターだかを編み上げてプレゼントする女の子がごろごろいたそうじゃ。』

という時代もありました。

今も手作りのお守りとかぬいぐるみ、チョコレートやケーキなどプレゼントすることはあると思う。

それは両思いならあり。

でも片思いでその手作りグッズでは好きな気持ち伝わりにくいです。悲しいことにむしろ気持ち悪さが伝わる可能性ありです。

手作りのものをあげて思いを伝えることって、ほぼ自己満足や自己陶酔になっちゃうのよね。もらったほうは正直重い。捨てるのにも心が痛む。

愛する娘よ。

好きな人にプレゼントをあげるなら企業の努力の塊である既製品にしましょう。

プロが厳しい目で商品開発しているんだから、既製品こそ自信をもって贈ってあげられるものです。あとは……彼の好みをちゃんとリサーチできているか否かだな。

＊＊＊

忙しくて会えない

2人の人間がいる以上、どちらかの都合で会えなかったりすることあるよね。

片方は会いたい。でももう片方は忙しかったり、本当に疲れていたりで会えない。

そんなときあなたならどうしますか？

①我慢する
②どうにかしてでも会おうとする
③物理的に会うのができないならせめて電話だけでも

まず相手が「会えない」というのなら、まずは会えない事実を受け入れましょう。

恋愛で大切なことは相手の気持ちや都合を「尊重すること」。相手が無理だと言っていることに対して、自分都合で相手のもとへ押しかけたりしちゃいけません。

そこで自分の会いたい気持ちだけを押し付けてしまうのは感情のコントロールができていない証拠です。感情のコントロールは恋愛のみならず、今後の対人関係にとても必要なことです。

と諭されても心がついていけないのが恋愛ですよね。この切なくキュンと苦しい思いは恋愛中にしか経験できない貴重なもの。しかし、会えないと不安になる恋愛中の気持ちも分かりますが、良い恋愛関係には多少の我慢も必要です。ここでグッとこらえて、次に会えた時に「寂しかった」などと可愛く言ってしまいましょう！

きっと相手も尊重してもらえた分、次回会った時には申し訳なかった思いでいつもよりあなたに優しくなっているのではないでしょうか。

愛する娘よ。

あなたにはあなたの人生プランがあるように、彼には彼の人生プランがあるのです。

勉強する時間や仕事に打ち込む時間。そして友達と過ごす時間はその人にとって大切なものです。決してあなたよりも他のものが大事とかいうわけではないと思います。勉強しなきゃ能力は向上しないし、仕事しなけりゃデート代だって稼げないわけですから。

共に成長していくために、ぜひ「尊重」してあげてください。

ちなみにここで冷たくなっていたり、どうも他の女性がいそうだと気付いたら……この恋に見切りをつけても良いと思います。だって悲しいかな相手はあなたのことを少しも「尊重しない」わけですから。

＊＊＊

自分の価値観を伝えること

例えばもし、「私は恋人に絶対自分の誕生日を忘れてほしくないし、なんなら盛大に祝ってほしい！と思っている。その期待の通りに相手が祝ってくれたら、相手の自分に対する愛情を目に見える形で知ることができてとても嬉しい」

と思っているのなら、そのしてほしいことを相手に遠慮せずに伝えましょう。

それで相手の気持ちを量る価値観をあなたが持っているなら、そのしてほしいことを思っているだけではダメ。

伝えないと伝わりません。

しかも、その価値観があなたにとって重要であればあるものほど、しっかりとかつ具体的に伝えないと、ドラマのように相手がその意図を察して先回りしてくれることはほとんどないと思ってください。

伝えてもないのに勝手に相手に期待して失望するのは早いですよ。

まずは伝えること。

それで相手が何度も忘れてたり、軽んじているようなら、そのときは心のままにがっかりして去っても構わないでしょう。

だってあなたの重要なものは相手にとって大事ではないと軽視する程度なんだから。そこを思いやれない相手ならあなたはことあるごとに不満を抱き、気持ちも冷めていくことでしょう。

逆に相手が譲れない価値観を出してきたときには、あなたもそれを大事にしてあげてくださいね。

＊＊＊

求ム！聞き上手男子！

イケメンでカリスマ性があって、クールな俺様系。

少女マンガや女性向け恋愛ゲームに登場しそうなキャラですね。

2次元のキャラなら全然構わないんですが、現実に（いるわけないが）そんな俺様系男子と付き合うなかれ。

美人は3日で飽きると言われているように、イケメンで強引な俺様系の男は3日で疲れます。憧れるだけならいいんだけどね。

そもそも俺様系は自己中心。話なんてろくに聞いてないことはザラにある。つまりあなたの心なんてわかっていないし、基本いたわろうとは思っていません。

女性は本来「話を聞いてほしい」気持ちを共感してほしい生き物です。ほら、オチのない話をダラダラ話したり、愚痴を聞いて「わかるわかる」と言ってほしかったりするじゃない。そこに論理的回答を出そうとする返しの不要率90%。

でも男性は話を聞く=アドバイスしたがるのよね。

特に求めていないアドバイスを出されるだけならまだしも、時にはあなたが聞いてほしくて話し始めたはずなのに、気づけば彼の話になっていることもよくある現象です。

まぁ、時にはそれでも良いとしても、毎回そうだと「私のことわかってくれない!」とか「話しても聞いてくれない」と誤解しちゃうかもしれません。

最初は話し上手な男性のほうが惹きつけられますが、実は聞き上手な方のほうが女性のニーズに合うことが多いようで、後々好意を持たれ重宝されやすいです。

愛する娘よ。

もしあまり聞き上手ではない方と付き合っているのなら、最初に「今日は聞くだけにしてほしい」とハッキリと前置きしましょう。

ろくに話を聞いてくれない男性との付き合いは長くは続きません。

「アドバイス不要で、今日は話を聞くだけでお願いしまーす」と最初で申し込んでおかないと、気づけばなぜか全然違う話を「聞かされている」ことになる。

＊＊＊

男を見る目

「自分の娘に男を見る目があってほしいけど、男を見る目ってどうやったら身につくんだろう」と、ママ友さんがぽろっと言っていた。

そもそも男を見る目ってなんだろう？ と考え始め、その言葉が本書を書くひとつのきっかけにもなった。

恋愛中って相手に夢中になっているから、どんなにひどい男でも悪いところはさほど気になららず、なんなら欠点も良いように自分で変換しちゃって、周りがどんなに止めても聞く耳もたないと思うんだ。

しょせん恋は盲目。その夢中になっている期間は聞く耳も見る目もございません。

男を見る目なかったわーと後悔するのはきっとその恋愛が終わったとき。

特に最初は相手に好かれようとしてみんな自分の欠点は隠そうとするから、なかなか本質的な部分が見えにくかったりもする。

だからどんな相手でもあなたが好きになったのなら、それはそれで良いと思うの。

損得勘定が先だって、恋愛を回避してしまうほうが恋愛経験値を下げてしまうしね。

ただね、あなたの周りの信頼できる友達2人以上が彼のことを「あの男とはこれ以上付き合わないほうがいい」と忠告してきたなら、こりゃあ相当やばい結末になると、決してハッピーエンドにはならないということを覚えておきなさい。

※ポイントは2人以上ってところです。

＊＊＊

お母さん的にはコンパがあれば行ってほしい

コンパ。

それは複数の男女が飲食を共にし親睦を深める場。

コンパを恋人探しの場にしている方も一定数いるとは思う。

最近ではマッチングサイトなるもので、自身の好みにあった人を紹介してくれるという非常に合理的なものが人気らしいが、母としてはコンパで生身の人間と対面する場を何度か経験してほしいと思っている。

中には卑猥な目的のものもあるようなので注意が必要だが、居酒屋やダイニングバーなどで現地集合現地解散の健全なものであれば大いに参加していただきたい。

と、いうのもそこではやはりいろんな職種の方だったりいろんな性格の方が参加するものだから、いろんな人を見ることができるんだ。

周りに対して気遣いができる人、場を盛り上げようとする人、食べ方がすごくきれいな人、明らかに人数合わせで連れてこられてテンション低い人、初対面なのに仕事の愚痴を言ってくる人、女の子全員に連絡先聞きまくっている人、とにかくいろんな人がいるなとあらためて思うわけだ。

あなたがその場で男性にモテるとかモテないとかじゃなく、どんなタイプの人が隣に座ってもある程度はうまく付き合う、話を合わせることができるかどうかの練習にもなると思う。

素敵な人に魅力を感じてその後恋愛に発展するかもしれないけど、まずは自分が公の場で立ちまわる所作の経験としてぜひ参加してほしいと思う。

まぁ、君が大きくなるころにはこの言葉自体が死語になっているのかもしれないが、きっと似たような形のものはあると思う。だって沖縄には昔から「毛遊び（もーあしびー）」なるものがあったわけだから(笑)。
※毛遊び（もーあしびー）とは、若い男女が野原や海辺に集って歌い踊りながら交流する、沖縄にあった慣習のこと。

＊＊＊

男性が喜ぶ相槌「さしすせそ」

人からほめられると嬉しいものですよね。それは男性でも女性でも同じですが、特に男性は女性からほめられると、女性が思っている以上に喜んでくれているらしいです。

そこで恋愛成功ハウトゥー本なんかによく載っている誉め言葉の「さしすせそ」をあらためてご紹介します。

「㋚すが！」

「知らなかった！」

「㋜ごい！」

「㋝ンスある！」

「㋞うなんだー！」

これを会話の要所要所ではさむと、効果的なようです。彼が元気のないときに意識して使ってあげると、自信回復にもつながってくれると思います。愛情をもって素直な気持ちで言ってあげてくださいね。

そして意中の方に使う場合のオリジナルとしては、最後の「そ」で、あえて突き放して追っかけてもらう手法もアリです。

会話例として

「さすが」

「知らなかった！」

「すごい！」

「センスある！」

等と一通りほめたあとに「じゃあ、一緒に行かない？」とか「こういうのはどう？」と言われたところで「それは嫌だな」と不快に思われない程度に突き放す。

今までたくさん同調してもらって褒めてもらって尊敬のまなざしで見られていて非常に良い気分でいて、何ならこの子自分に気があるのかもー？と思っていたら前触れもなく逃げていったあなたの様子に相手は驚き戸惑うことでしょう。

すると相手は急に「なんで？なんで？」と焦りだして今度はこちらの気を引こうとしてくれるので、追う立場から追われる立場に逆転することもあります。成功するとちょっと快感です（笑）

＊＊＊

恋することで見えてくる自分という人間性

恋は盲目とは言いますが、相手のことはもうラブラブフィルターを通して見ているので、悪いところは見えにくくなり、文字通り盲目になるもんだと思います。

対して自分のことは逆に嫌な部分も明るみに出てくることがあるはず。

嫉妬で醜くなる自分の心や、相手を束縛して自分の気持ちだけを満たそうとする勝手な心。

人と比べてしまい劣等感に包まれて落ち込むこともあるでしょう。

自己評価がマイナスになってしまったのなら、はい！ お待たせしました!! プラスに変える大チャンスです!!!

嫌な面が見えた時じゃないと、人間そこを改善しようとは思わないのです。

人や周りはあなたが願っていても都合よく変わるものではありません。自分を変えるしかないのです。

明るみに出てしまった自分の嫌な部分に気づいたのなら、どうなりたいのか？ どういう自分が理想なのか？ を思い描いてください。

愛する娘よ。

好きな人の隣にいる自分とは、どんな自分でありたいですか？

いくらありのままの自分を受け入れてほしいと思ったところで、魅力がない人には惹かれません。

相手に好かれるために、綺麗になる努力をしたり、料理を覚えたりと、恋がエネルギーとなって自分を良い方向へ高めてくれることもあります。

＊＊＊

意外と楽しい!? 恋愛黒歴史

恋してる時ってドキドキキウキウキだけじゃなく、恋するがゆえに苦しかったり、好きな気持ちを抑えられなかったりすることもある。

気持ちを抑えられないと、つい後先考えずに気持ちだけで行動してしまって、後にその行動したことや結果が、自分の過去から消し去りたい「黒歴史」になることがある。

その代表的なやつ。

小学校高学年でありがち黒歴史

○好きな男の子に手描きのイラスト贈与するも、そもそも男の子手紙交換の習慣ないから、基本一読してポイ捨てされる

○好きな男の子に手作り菓子プレゼント。しかし小学生男子なら、深いこと気にせず菓子は食べる。しかし今のご時世美味い市販の菓子が山ほど売られているため、手作りの菓子が素朴な味だと「まずい」と一蹴されがち

中学生～高校生でありがち黒歴史

○学校で習った「詩」に影響されて、好きな男子を題材にポエムを書きがち。そしてそれを相手に渡してしまう。最悪友人などに拡散していく。

○恋愛ソングを聞いて、この曲は私の気持ちを代弁している！と思いエンドレス同じ曲を聴いて同じ部分で泣くを繰り返す

高校生～社会人間際

○周囲が「もう別れなさい」と言ってくるようなちょっと暴力的な彼と付き合い続け、かわいそうな自分に酔いしれがち

○刻印できるグッズに「2人の愛はフォーエバー」。録音できるぬいぐるみに「愛してる」など、

のちに赤面確定の物的証拠を残してしまう

大人編

○デートしても1つも楽しくないくせに顔だけで男を選んで付き合ってしまい、無理したデート終わりには疲れ切っている。振り返ると全くもって時間の無駄だった

○モテる女の子の子のキャラはきっと天然だ！と思い込み、天然ボケのキャラを演じてみるも即しんどくなる

○「君が一番だよ」と言ってほしくて「○○ちゃん可愛いよね。△△ちゃんはお嫁さんにしたいタイプだよね。」と思ってもないことを問いかけ、彼があっさりそれに「そうだね」と同調した途端不機嫌になり喧嘩

○相手からの返信が来なくて不安になり、鬼電、鬼ラインの嵐。等々……

でも大丈夫！これらすべて青春！

アラサー過ぎるとこれらの黒歴史を意外と楽しく笑い話として話せるようになるから（笑）。

恋愛中はあとで後悔しないように、ドキドキウキウキしながら過ごしてください。

＊＊＊

甘え上手で何が悪い

誰かそばにいてくれないと寂しさに耐え切れないからと恋愛に依存してしまうのは惨めだけど、恋愛にのめりこむのは決して悪いことではないはず。それだけ真剣に人を好きになっているのだから、恋にクールな態度で挑まずに、一喜一憂してある程度振り回されるのがリアルな恋愛模様。

でも最近では、なんでも1人で出来て自立しているのが美しく聡明な女性であり、恋愛においても男性のペースに振り回されることなく、依存することもなく、自分の人生に主軸をおいて恋愛を楽しむ！　そんなスタイルがピックアップされることが増えてきています。洋画の主人公のようですが、本当にそんな女性いるのでしょうか？

自立していることは素晴らしいのですが、心配なのは「人に甘えることをネガティブにとらえてないか」。

自分の弱さを見せることが苦手だったり、また人への甘え方が分からなかったりする女性が増えているように感じます。

甘え上手があざとい女の子のような風潮がありますが、心許している人に甘えるくらい何が悪いんだろうか。

手あたり次第はさすがにどうかと思いますが、恋人に甘えることは、彼にお弁当作ってあげるのと同じくらいやって可愛い行為だと思う。

甘えることは下手だなと自分で感じているのなら、少しずつ甘える練習をしてみよう！

本当は自分でできるけど、ちょっとだけそこに彼の助けを「あえて」加えることから始めてみてはどうだろうか。

自分でネット検索すればすぐに分かることだけど、あえて彼に携帯アプリの使い方を教えてと聞いてみるとか、些細なことで良いんだけど、お願いするときは具体的に示してあげないと男女ならではのスレ違う危険性があります。

少し風邪気味のときに「体調悪いから何か温かいもの欲しいなー」とかじゃなく、「体調悪いから○○で売っている○○があると助かるなー」という言い方にしましょう。

愛する娘よ。

人に甘えることで、自分の心の負担も軽くなる。甘えることは悪いことではない。甘えられる相手がいるということは、心を許せる信頼できる人がいるということだ。

＊＊＊

尊重する気持ちの発掘作業

恋をしたばかりの頃は、相手のためなら何でもしてあげたい！　相手が喜ぶならエンヤコラ！と頑張ってしまうことが多いと思います。

しかしお付き合いの年月が長くなったり、二人の気持ちが安定しだすと、付き合いだした当初無理してでも頑張っていたいわゆる「相手に尽くしてあげること」が徐々におろそかになってくることでしょう。

そうなったとしても、それは自然に無理をしないリズムが出てきただけのことだと思うので、危機感を持つ必要はありません。

むしろ危機感を持つべきところは「相手の人格を軽視し始めたとき」です。

相手も一人の人間であり、これまでの生活そしてこれからの将来と、恋愛以外にも大事なことがたくさんあります。

自分に置き換えてください。

自分自身にも大切な友達がいて、真剣に考えている将来像があり、夢に向かって努力しなくてはいけないこともあるでしょう。

それは相手も同じです。

「私のためにこれくらいやってほしい」とか「付き合っているんだから、恋人にはこうするのが当たり前」という傲慢とも取れるような気持ちは非常に危険です。

相手にも人格があり価値観があり、状況によって優先すべき事柄の順位も変わってくるものです。

末永く良い関係でいたいのなら、自分がそうされたいように、相手を尊重し、大事に接してあげる気持ちを失わないようにしましょう。

今もし失いかけているのなら、尊重する気持ちを掘り起こしてください。相手はあなたのために存在しているわけではないのですから。

第二章　恋のリアル臭

彼の本当の気持ちがわからない

この本を書くにあたって、最近の若者は恋愛でどんなことを悩んでいるのだろうか……。と、ググりました（笑）。

すると驚いたことに、複数の恋愛相談サイトの相談件数ランキング上位は「彼の本当の気持ちがわからない」という悩みでした。

……お母ちゃんこれ見た瞬間固まっちゃったよ。

だってね、「分かってたまるか！」が、まっとうな答えな気がするんだ。

彼の本当の気持ちとやらがどの部分を指しているのかによるのかもしれないけれど、それが心のすべてと言うのなら、本心を全て分かり合えるなんて無理な話だよ。

一つ屋根の下で生まれ育った兄弟姉妹でさえ、互いの本当の気持ちをわかるのは難しいことなのに、お付き合いして数か月とかで彼の本心全てを分かるなんて無理無理無理無理。

知りたいのはあなたへの気持ちだとしたら、それはあなたがどれだけ彼を信じるか？の1点だけだと思うな。

どんなに話し合って、彼が一生懸命答えてくれたって、彼の言葉が彼の本当の気持ちであるかどうかは受け手側が信じる以外どうやってそれが本当の気持ちだと判定するのだろう。

口では「好きだ好きだ」と言いながら、行動が軽率であったりするのなら、「その振る舞いで好きだという気持ちは信用できない」と言いましょう。

対して、あなたに対する気持ちを口にせず、態度で分かれよ！という彼なら、「伝わりません」と言いましょう。

そう伝えた直後の彼の態度や発言はほぼ本心から出るものじゃないでしょうか。

うっとおしがるようなら、それが本心。

彼があなたに寂しい思いをさせていたことに気づいて何かしらのアクションを起こしてくれるならそれが本心。

彼があなたを少しでも安心させたいという態度を示したのなら、まずはその本音の心を素直に嬉しいと伝えてあげてはいかがでしょう。

その後、また不安になったとしてもその都度言えばいい。

あなたの気持ちも状況によって不安定になるように、彼の気持ちだって同じように毎日変化するもの。

愛する娘よ。

人の性格や習慣は簡単に変われるものじゃない。でも人の気持ちは、良くも悪くも変わりやすいものだよ。

＊＊＊

やきもちと支配

大好きな彼が自分以外の女の子と楽しそうにしていると、心がさわいでしまうことあるよね。やきもち焼いているんだけど、嫉妬心を認めたくなくて彼に冷たく当たったりして、そんな自分の行動にまた自己嫌悪に陥ることも恋のあるあるです。

それくらいはまだ可愛い範囲。

ちょっと厄介なのが、やきもちや嫉妬心からの強い束縛。

「異性の友達と話しちゃダメ」「異性がいる食事会に行くの禁止」「学校や仕事が終わったら真っ

直ぐ自分のところに来て」等々、相手の行動を自分の気持ちが不快だからという理由で勝手に制限してしまうのが恋愛上での束縛です。

彼の交友関係をあなたがコントロールする権利はないし、逆に彼もあなたの交友関係を束縛する権利はない。

お付き合いしている相手がやきもち焼いて不安になるかもしれないと思い、自ら率先して自分の行動を改めるならそれは「思いやり」。

本当は自分はこうしたい！と思っているのに付き合っている相手から文句を言われそうだから自制するのは「我慢」。

そして自分がこれは嫌だから、あなたもこうして！と自分の気持ちの都合の良いように相手を説得し強制行動制限しちゃうのは「束縛」。

束縛はもう相手を支配してしまうことになるので、そこに対等な関係性はつくり切れなくなってきます。

一人の人間として対等な関係性じゃないのなら、互いに尊重しあうこともできなくなるので、遅かれ早かれこの恋愛関係は終わりを迎えることでしょう。

好きな相手だからこそ相手を縛るという意見の方もいらっしゃると思いますが、それは相手をあなたの都合の良いように扱いたいだけで、縛られている相手に対して非常に粗末な態度をとっています。

愛する娘よ。

もしやきもちからの支配関係になってしまったのなら、早めに「束縛は大切にされていない、していない証拠だ」と気づいてほしいところです。愛しているから束縛するのではありません。

それはただ己の不安からくる身勝手な行動です。

＊＊＊

過去の恋愛がトラウマで女性を信用できないと言う男とは付き合うな

過去の恋愛がトラウマで女性を信用できないと言う男とは付き合うな。

結論をもうタイトルで述べました（笑）。

そのままです。過去の恋愛がトラウマで女性を信用できないと自己申告してくる男とは付き合うな！です。

だって、はっきりと「女性を信用できない」と言っている人とどうして深い関係を築くことができるのでしょうか。

異性としての友達同士なら真剣に寄り添うこともできますが、恋人同士という当事者になってしまえば泥沼コース必至です。彼はあなたに不満を覚えるたびにいちいち「だから信用できないんだ！」と言って暴言を吐きかねません。

まずね、どんなに辛い過去があって、どれだけ深く傷つき、本当に自殺してしまうほどの苦しみの中にいたとしても、女性に向かって「女性を信用できない」と自己主張する強さって何だろう？と考えてみてください。

それは裏を返せば、「だから自分が今後あなたにひどいことしても許してね」という思いに繋がってはいないでしょうか。本当の深い傷によって苦しんでいる部分はたやすく人にさらけ出せるものではないと思います。

そんなこと言っても「好きになっちゃったんだから仕方ないじゃない」というモードになっているのなら、まぁ自己責任でその後自分がどんなに傷ついても頑張って立ち直るしかないですが、きっとあなたが別れを切り出すときに相手は「ホラ、やっぱり女は信用できない！」と言ってさらにまた互いに傷つけ合うと思います。

そしてその恋愛の最中はきっと「私しかこの人を分かってあげられない！彼には私しかいないんだから！」と、いわゆる「私が彼を救わなきゃモード」になっていると思いますので、本当に気を付けましょう。彼の傷が深ければ深いほど。DV同様、あなたでは手に負えませんので、彼があなたに固執、依存する前にプロの心理カウンセラーに任せてあげるのが正しく彼を導く最短ルートかなと思います。

「過去の恋愛経験がきっかけで女の人が信用できない。」

と、言ってくる人に私も実際に出会ったことがあります。

そう言われたときに真っ先に思ったのは、「『女性』を信用できないくせに、『信用できない』と『女性（私）』に言ってくるって変じゃない？」でした。

コンパなんかで初対面の方に言われたらそれは、ただのPRの一種です。甘えさせてーってことですね。

「俺って恋愛に臆病なんだよねー」とか言って、要は恋愛対象ではなく遊び相手を探しているだけの男と同族です。

＊＊＊

一度でも手をあげたら、何も考えずに3秒以内に別れを告げて立ち去ろう

「ＤＶ」

「ドメスティックバイオレンス」

という言葉は近年よく耳にします。

昔は家庭内暴力のイメージでしたが、今はデートＤＶというワードも飛び出しているほど身近な問題となっています。

いや、待てよコノ野郎。

デートでＤＶってなんだよ。

結婚しているわけでもない、デートしているだけの間柄なのに暴力をふるうってマジでうんこ野郎じゃないですか。

繰り返すがデートしているだけの関係なのに暴力をふるうってことは、相手への執着はあっても「大切にしたい」気持ちはありませんね。

残念ですが、そんな奴とこの先上手くいくわけないデス。

愛する娘よ。

あなたが誰かとお付き合いをしていて、その相手がたった一度でもあなたに手を挙げたのなら、絶対に何も考えずに3秒以内に別れを告げて立ち去ってください。

初めてのことだから？

ついカッとなって⁇

そんな後付けの言い訳はいらないのです。もう一度強く繰り返しますが、手を挙げられたら相手が何か言おうとするその前に何も考えずに3秒以内に別れを告げて立ち去ってください。

例えばそれが今はビンタだとしても、この後エスカレートしていき、あなたの体を深く傷つけていくことも十分にあり得ます。

最悪殺されることもあるでしょう。

だって、痴話喧嘩の果てに「ついカッとなって相手を刺した」なんて理由はよく聞くじゃないですか。

彼がそこまでするとは思えない？

ＤＶ被害者の方はみんな最初はそう思ってたと思いますよ。

それにね、カッとなって女の子殴っちゃうようなら、理性で感情を抑えられない性格の持ち主ってこと。

それはあなたが支えるとか許すとか治すとかそういった次元の話ではないの。

彼自身が「変わらなきゃ」と気づいたときにプロのカウンセラーにお願いする複雑案件なので、素人の彼女は、余計なことはせずに自分と彼のために即お別れいたしましょう。

彼女が一度でも許しちゃったらね、「暴力は許されないこと」ではなく、「許してもらえるもの」に変換されちゃうから彼は悪化するだけよ。

＊＊＊

恋愛中の「支え」からの完全なる「甘え」現象

恋愛中って相手に夢中になればなるほど周りが見えなくなるね。

この人さえいればそれで良いのぉー！と思うよね。

それだけ夢中になれる魅力的な人があなたのそばにいるって素敵なことだね。

でもそのお相手が、客観的にみて人間的な魅力がなかったら？

向上心はなく、他力本願。五体満足の健康な体があるのに仕事しない、ギャンブル癖があり、浮気する等のいわるゆるダメ男だったらどうなんだろうか。

あなたの恋する相手が、経済的に自立してなくて、親やあなたに助けられて生活しているタイプAだとしよう。

まぁ、一時的に無職になる場合ってこのご時世ザラにあるから、期間を設けたうえで自分の負担にならない程度サポートするのは良いと思うよ。

でも彼に自立しようとするやる気がなかったら？

ずっとダラダラとした生活で良いと思っていて、彼はあなたのことセーフティーネットにしているようなら、その時はあなたのこともはや「愛して」はないよね。

あなたも彼を支えているつもりが、いつの間にかただ甘えさせているだけになっていないだろうか？

次に精神的に自立していなくて、甘えているタイプBならどうなんだろう。

心が弱くて繊細で傷つきやすい。そんな彼だからこそ確かに支えが必要だね。

古来から（？）言われているように、人と人とは支えあって生きていってるもんね。

甘えさせるのも甘えるのも悪いことではない。心休まる相手や空間が必要だもの!!

でもずっとあなたにおんぶに抱っこの生活が続いていて、少しの間の「甘え」のはずが「依存」に変わってしまうそうなら、彼はいつまでたっても立てないヨチヨチ歩きのままだ。

気を付けてほしいことは、タイプA、タイプBをあなたが長期的に面倒を見て養ってしまっていやしないだろうか。もうそれは好きな人を支えているではなく完全なる「甘え」させている状態になっています。

恋愛ゴッコではなく、真剣にお付き合いをしているのなら、相手に甘える時間や重さの度合いが「支え合い」を超えないように気を付けよう。

支えるということは、相手が自分の足で立とうとしているのを隣で補助することだよ。

愛する娘よ。

お母さんの経験上、付き合っている男性にこの「甘え」現象が比較的起こりやすいのは、学生から社会人になりたての時期～24歳くらい。環境が変わって、特に理想と現実が違っていた時に現実逃避として彼女に甘えがちになるぞ！

＊＊＊

大好きな彼からの「お金貸して」

人がこの世で生きていくうえに必要な「お金」。

例え恋愛中のお花畑の世界の中にいたとしても、現実的にお金は日々使います。

例えデートのときのランチ代を彼が出してくれていたとしても、彼に会うときにはもっと自分を素敵に見せたいから新しい洋服を買ったりメイク道具そろえたりしちゃうよね！

はい、ここまでは、まだ素敵なお花畑の世界観。

そんなハッピーな世界が急にどんよりしてくるワード、彼からの「お金貸してほしい」発言。

さて、大好きな彼に「お金を貸してほしい」と言われたらあなたはどうしますか？

まず一般的にはなんで貸してほしいのかその理由を聞くことでしょう。

その理由によって、かつあなたが金銭的に少し余裕があれば貸しても良いかもという気持ちになると思います。

ただお金を貸す場合には、基本返ってこないことを覚悟して貸しましょう。

そして彼にお金を貸してほしいと言われたあなたはきっと少なからず彼に対する気持ちに変化が生まれると思います。お金を貸してほしい理由によっては劇的に気持ちが冷めることもあるでしょう。

「今月金欠で……」とかいうざっくりした理由なら、計画性のない彼に不安を覚えるだろうし、「財布落としちゃって」とかいう理由なら同情はしつつも、愛する彼女にお願いする彼のプライドって何？とか、「貯金は一切していなかったの？」という疑問も出るだろうし、いずれにせよガッカリすることはあると思う。

ただ、「家族が病気で」とか本当に困っているなら、そこであなたができる範囲の助けは素直にしても良いと思う。

愛する娘よ。

繰り返すが、お金はどんな理由で貸したにせよ返ってこないものだと思ってくれ。そこに彼の誠実な人柄とか信頼とかは関係ない。お金を貸す＝無償の愛を提供したと思いなさい。

＊＊＊

恋愛中に3人のママが登場する

一昔前には結婚披露宴のスピーチ定番に「家庭に必要なものは3つの袋」なんて話がありました。

堪忍袋、給料袋、おふくろ。（胃袋が出てくるパターンもあります）

ここでは恋愛中に出てきてほしくない嫌なママをご紹介します。

相手との関係が長く深くなるにつれて徐々に気を使わなくなってくることでしょう。

それは良いところでもありますが、そこには気づけば「3人のママ」が登場してきていませんか？

素のまま

わがまま

ありのまま。

最初は気を使っていたとしても、徐々に互いにリラックスし、家族同然飾らない「素」の状態でいる「素のまま」。

素の状態でいるわけだから見た目だけじゃなく言動も互いに思いやりに欠けてきて、相手への配慮なしに自分の意見だけを押し通す「わがまま」。

でもこれが自分の本音だもんと開き直り、相手が不快になるとか関係なしに思ったことをつい口にしちゃう「ありのまま」。

信頼しあっている相手といるときや、結婚後の心休まる場所としての家庭はまさに、素のままありのままの自分であり、そんな自分はわがままでもあります。

もちろん自然体のあなたを愛してくれることは素晴らしいことですが、3人のママに対して口うるさくうっとおしい存在だと相手が感じてしまわないように、「親しき仲にも礼儀あり」を忘れずにいたいものです（自戒もこめて）。

＊＊＊

恋愛のゴールが結婚ではない

恋をしてお付き合いをし、そして結婚。

現在ではこの構図が崩れつつありますが、まぁ、ある年頃になったときの恋愛の流れの最大公約数的な感じでいえば適齢期の恋愛＝結婚ですね。

でも、周りの友達もちらほら結婚し始めてきて、自分もそろそろかなー？と思ったときにたまたまお付き合いしていた「彼」と安易に結婚しようとは思ってほしくないですね。

ましてや「安易に思ってないわ！私たちちゃんと心の底から愛し合ってるもの!!」というレベルなら、もうちょっと冷静になるまで結婚待ちたまえと母は止めることでしょう。

愛しているのでずっと一緒にいたいは自然な感情なので良いと思いますよー。

ただし、結婚はずっと一緒にいられるからするのではなく、互いの人生に「責任を持つことと、それを続ける努力」を覚悟しなくてはいけないのです。

って言ったところで恋愛中は聞く耳持たないよねぇ〜。突っ走っちゃうよね〜。反対されればされるほど燃えちゃったりもするよね〜。

でも……聞け！

結婚する理由と意味をよく考えてほしい。

「なんで私は結婚したいのか？　なんで彼は私と結婚したいのか？」

その答えは人それぞれ違うけれど、「愛し合ってるから！」といった恋愛の延長線上にはない答えがきっと出てくるはずだ。

それはもう恋愛のキャピキャピ感（死語）ではなく、あなたの人生をかけて出してほしいまじめな答え。

愛する娘よ。結婚したらずっとその伴侶と一緒にいることになるのよ。

そんなの知ってる！と言うかい？

ずっと一緒にいるってことはね、彼が病気になっても、ながーいこと無職になっても、育児放棄したとしても、あなたの気持ちよりも友達と遊ぶ時間を何か月も優先して過ごしたとしても、デブになっても、ハゲになっても、大病で動けなくなっても、一緒にいるってことよ。今のあなたが知っている「彼」ではなく、今の「彼」のたとえば収入や見た目が変わってしまっても一緒にいるってことなのよ。

だから結婚は恋愛のゴールではなく、恋愛から始まって現実とその未来を見据えて覚悟の上に決断するのが「結婚」だと思ってちょうだい。

＊＊＊

お互いの家族に対する態度を見よう！

今はあなたに対して優しい彼と、もし結婚をして「家族」になる気があるのなら、その前に彼が自身のお母さんに対する態度とまた家での様子を見ておくべきです。

例えば日頃優しい彼が、自分のお母さんが話しかけてもそっけなかったり、何か頼まれごとをしてもなかなか動かなかったり、はたまた実家ではどーん！と座っているだけで全く動かない様子なら、結婚後もそうなる可能性大です。

あなたが何か修理を頼んだとしても、携帯ばかり見てやってくれない。

食後もお茶碗片付けないとかね。

「家族なんて関係ない！私たち２人は愛し合っているから、結婚は私たち２人だけの問題よ！」と思っていて、周りのことを考えられないくらいこの恋愛に没頭し、浅はかな気持ちしかないのなら今は結婚すべき時期じゃないですね。

そして結婚を前提に、相手のご両親に会った時には「いつかはこの方々のオムツを自分が世話するかもしれない」くらいの将来介護する覚悟をもっていたほうがいいでしょう。未来は何が起こるかわからないのだから。

＊　＊　＊

ネットで気軽に恋人探し

出会い系サイトはもう古い。これからの時代、相手探しは「マッチングアプリ」だ！

と、広告のキャッチコピーのようなことを言いましたが、今や恋愛の相手を自分好みの条件を入力して検索して探したり、ＳＮＳなどで共通の趣味で他人とつながり、パートナーを見つけるというなんとも合理的な手法は珍しくありません。

インターネットでいろんな人と出会うことができる今、ネット上での出会いから恋愛へ発展することは日常化しているように感じます。

最近の恋愛アプリでは結婚を前提にしたお見合い系に限らず、学生さんでも利用できる友達作り的なノリでポップな雰囲気のものまで色々あるようです。

とは言え、「原則18歳未満は利用不可だし、うちの子に限ってそんなことしないと思う」と、いう考えはもう母は捨てております。

（お母さんたちだってあまり大きな声では言えませんが、自身も思春期のころ親に言えないようなこと、たくさんあったしやらかしてます）

趣味や価値観が合いそうな人を、ネット上で探して出会うことは非常に合理的かもしれません。

それこそおじいちゃん、おばあちゃん世代で言えば、「文通」だったわけで、そこでのやりとりを元に「きっと相手はこんな人」と妄想や恋心を抱いていたことでしょう。

それが今や相手の顔も見え、動画も送ることができ、はたまた直接会うこともさほど難しいことではなくなりました。

ただ、手軽さ故に「リスクも手軽に負える」ことを忘れないでほしい。

「何度もやりとりしているし、顔も知っているから大丈夫」と思っている相手はなりすましの可能性もあります。顔写真なんて簡単に加工できます。プロフィールの内容も嘘がつけます。

そして実際に会った時には、画面上でのやりとりとは違う印象を受けることもあるでしょう。あなたはそこで「嫌だったら次から会わなきゃいいだけ」とまた「気軽」に考えていても、相手は拒否されたから「気軽」に復讐してやろうということも考えられるわけです。

実際にお付き合いした人でさえ、好意が敵意に変わり、嫌がらせやストーカー行為をしちゃうわけですから、初対面の方の裏の顔を見抜くことなんてこと、ここだけは「気軽」にできるわけがないのです。

愛する娘よ。

友達はみんな彼氏がいるけど自分だけいない！　一人じゃ寂しい！　そんな状況だと、焦ってマッチングアプリで恋人探しちゃうことだってあるかもしれませんが、どうか慎重に行動されてください。

相手に送った「お金」と「あなたの情報」は二度と取り戻すことはできませんから。

＊＊＊

付き合っているのか？ 付き合ってないのか？ 分からない微妙な関係

20歳以降に出現しやすい「付き合っているのか？付き合ってないのか？分からない微妙な関係」。

友達の間でも、「あの人と付き合ってるの？」と聞くと「んー、付き合っているのか？付き合ってないのか？分からないから微妙な関係」と返ってくることがあると思います。

そのお友達をいたずらに傷つけることはないので、友達にはタイミングをみてそっと言ってあげれば良いのかと思いますが……その関係はズバリ「付き合ってはおりません」。

付き合ってないなら、付き合ってないんですよ。

互いに好き同士で何度もデートしている仲なら、付き合おうかどうしようか見極めている段階なので、まだお付き合いはされていませんよね。これは今後脈はあると思うので、2人のペースで歩み寄れば良いと思います。

でも体の関係がすでにあるのなら、そこで「付き合ってもいないのにセックスはしている関係つまりセックスフレンド」と表現されたくないがゆえに、無理やり付き合っているかのような雰囲気を醸しださないと惨めな気持ちになってしまいそうだから「付き合っているのか、付き合ってないのか分からない微妙な関係」と表現したいのかもしれません。

付き合ってもいないのにセックスはしてるのなら、そこから正式なお付き合いへと発展するのは至難の業。

相手もあなたにいくらかの好意はあるし、セックスはしているけれど、付き合うとなると荷が重い。なのでこの状況で男性から「付き合おう」と言ってくることは皆無に等しいかと思われます。

男性にこの関係を問いただしてみたときに、はっきりせず、「大事な人だと思ってるよ」と甘い言葉を言われたとしたら、それはセックスする相手として確保しておきたい大事な人ってことです。

＊＊＊

略奪愛やら不倫やら

好きになった人に「恋人」がいたり、「妻子」がいた場合、あなたならどうしますか？

好きになっちゃったんだから仕方がない？

この気持ちは抑えきれないし、あきらめきれない？

いえ、スッパリとあきらめてください。

まず第一に、人のものを盗ってはいけません。3歳児でも分かることです。

でも思うだけなら自由では？

いやいや、思っている以上、その好きな相手の前に出たら好き好きオーラ絶対出てるし、好きな人には近づきたいし一緒にいたいと願うものでしょう。

好きな相手や周りに気づかれないよう頑張って努力する？

いやいやいやいや、そこ頑張れるなら、その努力とエネルギーはむしろあきらめるほうに向けてください。

出会ったタイミングが悪かっただけで、私の方が先に彼に出会っていたら良かったのに？

いやいやいやいやいや、もうそんなこと言いだしたら「日本じゃなくアメリカで生まれていたら最初から英語しゃべれたのにー」とか、遅刻しそうなときに「ドラえもんのどこでもドアがあったら良いのにー」とか思っちゃう現実逃避発想と一緒だよ。言ってどうなるもんでもないです。もうね、つべこべ言わずに好きになった相手に彼女がいたと知った瞬間に潔く「失恋した」と確定して次に進むようにしてください。

それを別れるまで待つとか、私にもチャンスがあるかもとかで期待して待つのは虚しすぎます。パートナーがいる方が素敵に見えるのは、その2人のように愛し愛される関係に憧れや嫉妬している部分があるからだと思う。

でもそれは彼ら2人がお付き合いして作り上げたもの。あなたは部外者なので、例えこの後彼を奪ったとしても、傍で見ていた2人のような関係にはなれないのです。

彼のほうが自分の現在のパートナーと「上手くいってないんだよね」と言ってきたところで、私となら上手くいくと勘違いしてはいけません。どんな相手であれ、年がら年中上手くいってるわけがない。上手くいっていないときも当然あるけれど、その反対に良い関係の時もある。

恋愛や夫婦関係が上手くいかないからという理由で、あなたにすり寄ってくる男性がもしいたら、それは言わずと知れた、ただの最低な野郎です。

＊＊＊

デートドラッグレイプ

デートドラッグレイプとは、相手が気づかないうちに飲料などに睡眠薬などを入れ、抵抗力や意識を失わせ性的行為を行うことです。

これはもはや海外だけでの話ではありません。

薬を摂取した証拠も体内に残りにくく、かつ睡眠薬は簡単に入手できるので、日本でも沖縄でも知り合い間であっても十分起こり得ます。

睡眠薬を飲み、急に強い眠気がおそってきてもバタンと倒れるわけではなく、傍から見ると「飲みすぎて酔っている状態」に見えるため周囲は異変に気付きにくいと言われています。

当然このような薬を使わないと性行為できない、もしくはセックスするために卑劣な手を使うやつが完全に悪いわけですが、自分の身を守るために以下のことは覚えておきましょう。

①飲料を飲み残したまま席を立たない

②飲み切ってないうちに席を立ってしまったら、戻った際には飲み物を取り換える

③他人から渡されたものを口にしない

楽しい食事会や飲み会の席でイチイチこういう警戒をしないといけないのか！　と思うとため息が出てしまいますが、実際にセックスするためなら手段を選ばずに下半身で物事を考えるやつがいますので気を付けましょう。

＊＊＊

「結婚したら変わるかも」の答えは「変わりません」

愛する人とこれからの人生を共にする決意をする！　そのときに、一つ大きな確認をしてほしい。

どんなに愛する人でも完璧な人間はこの世にはいません。欠点あっての人間です。確認してほしいところは、あなたから見た彼の許容できない点についてだ。

愛する娘よ。

あなたが結婚を考えているそのお相手に対して、「ここは変わってほしい」と思う部分はありますか？　どんなに小さいことでもいい。他人から見たらささいなことでもいい。

まず彼の欠点が借金癖や平気でうそをつくとか、人としていかがなものかレベルなら、まず親として私はその結婚に断固反対しよう！

でもその欠点が、ある人からすれば気にならないもの、でもあなたにとって引っかかるものだとする。例えば、「付き合いだからと言ってキャバクラに行く」とかね。

これは人によって許容範囲が違うから気にならない人もいれば、絶対に嫌だと思う人もいる。

そこであなたがもし「やめてほしいな」と言っても彼が「これくらい我慢して」と全く譲歩する気がない場合、そこで「結婚して子供が生まれたら変わるかも」などと思ってはいけません。

結婚したら変わるかもと、相手に対して勝手に期待をしてはいけない。なぜなら人はそう簡単に変われないものだから。

ましてや男性からすると（言い方は悪いが）愛する彼女を結婚というかたちで自分の所有物にできたわけだから、片思いのころと違って必死に努力してあなたの気を引くことなどしなくても良いモードに入っているのよね。だからあなたが嫌だなと思っている部分があっても、変わらないとダメだ！と強く自分で思わない限り変わらない。

是非結婚する前に、「相手のこの部分は結婚しても子供が生まれても変わらないはずだ。果たして私は相手を責めずに許容できるかどうか」を確認してください。

＊＊＊

結婚に夢をみるのは素敵なことだが、同時に現実もみましょう

ある時期になると「結婚」という言葉が頭をよぎり始めるでしょう。

お母さんもあなたの花嫁姿を2秒考えただけでもう涙腺崩壊しそうよ。……娘まだ9歳だけど(笑)。

本当に大事な大事な大事な大事な私の娘。

結婚するお相手は、私以上にあなたを大事にしてくれる人であってほしいと切に願います。

その「結婚」ですが、正直「結婚する」だけのことなら簡単なのよ。

問題は、結婚はしたあとに、「結婚を続ける」ことが難しい。

相手も自分も今の状態が永遠に続くわけではないんだ。

悲しいかな人間は一人の人をずっと同じ熱量で愛し続けることはできない。

人の心は変わりやすい。環境が変わったりすれば相手への態度や気持ちにも多少なりの変化は

ある。愛情は常に一定ではなく、上がったり下がったり変動するもの。結婚を続けることは愛し続ける努力をするということだと本当に思う。

気持ちだけでなく、長い人生必ずいろんな変化が訪れるからね。

そして、どんなに愛があってもそれで飯は食えない。

愛する娘よ。

結婚し生活を共にしていくのなら、まずお互いの経済観念を話し合ってほしい。

今の収入はもちろんだけど、不確かでもいいからこれからのこと。例えばマイホームは絶対欲しいとか、ゆくゆくは起業したい気持ちがあるとか。

あとは持病もあるから保険はどうしたほうがいいのか。学資ローンの返済プランは等々……細かければ細かく話し合えるほど、後々モメることは少ないでしょう。

逆にそこをざっくりしちゃうと、後々反動で大きくモメます。

夫婦が離婚するときはなんやかんやあるけど結局はお金の問題が絶対にからんでいる！と君のおじいちゃんは生前よく言っていたよ。

2人のふかーい愛の上に、経済をちゃんと乗せてね。

第三章　セックスする意味と断る勇気

結婚するまではセックスしない？

「私は結婚するまではセックスしません」

というと、日本では基本ひかれる。

でもこの同じセリフをアメリカの有名歌手等が言うと、「まぁ、そういう考えもあるよね」とか「自分ってものを持っていてかっこいい」と評価されたり受け入れられる。不思議だね〜。セックスするのもしないのも全くもって個人の自由なのに、「しない」というと「変」だという近年の日本のこの風潮。

私自身も「はじめに」で書いたように、子供の頃通っていたキリスト教の教会での教えがあって、「結婚するまでセックスはしてはいけない」という雰囲気の中で育った。

しかし学校で習う性教育では、特にセックスしたらダメとか習わずに、「結婚もできない年齢で避妊もせずにHしちゃったら、妊娠して中絶し、命を殺すことになるんだぞー」とだけ教わり、結局して良いものなのか？　ダメなものなのか？　判断できずにいた。

どっちつかずの状態でいると、本当にクリスチャンは結婚するまでセックスしてはいけないのか？　そしてなんで？と疑問を抱くようになる。

でもこれを当時ティーンエージャーの女の子（私）が通っていた教会でストレートに聞けるわけがなかったし、まわりの大人も誰も教えてくれなかった。

大人になった今、その答えが分かりました。クリスチャンは結婚するまでセックスはせず、生涯の伴侶と夫婦になった際にするべき特別なもの。

というとなんだかお堅いので、「セックスは結婚する相手と結婚後にやりまくれ！」かな。

愛する娘よ。

あなたがクリスチャンとして心に信仰があるのなら、自分の意志で結婚するまでセックスしないと決めることでしょう。

セックスは子供ができても良いという関係性つまり夫婦に与えられた特権だという認識があると、妊娠の心配なんかせず、夫婦になったあかつきには堂々と、なんの不安も心配もなく、純粋な気持ちでできるわけですよ。

結婚に対する価値観も変わってきている昨今ですが、聖書を信じているのなら素直に受け入れられることだと思います。

ところでクリスチャンではないのに、結婚するまではしないと決めている方もいるようですね。

そもそも付き合ったらしないといけない！という風潮がまずおかしいのです。

するもしないも本人の自由意志です。外野は黙って本人の意思を尊重すべきですね。

＊＊＊

セックスへの好奇心

分かる！ 分かるよ!!! 娘!!!

セックスがまるで大人の入り口かのように見えたり、大好きな人との究極のロマンチック体験みたいに思えてくるよね。

しかも周りの友達が経験していて、ドラマや本でもデート中のキスからのセックスまで込みで恋愛です！みたいな流れがさも当たり前のようになっていると、とりあえず経験してみたいよねぇ〜。

分かるんだよぉぉぉぉ!!!!!!

しかし好奇心のセックスは結局自慰行為と同じで虚しさと、きっと「こんなものなのか？」という期待はずれな気持ちしか残らないと思う。

現実の初体験は少女マンガのように、セックスしている最中の背景にお花は咲かないものだし、相手も緊張でぎこちなかったりするもので、美しさも突き抜けるほどの快楽もない。

すごく不思議なことなんだけど、相手と強く魂で触れ合っていると思っていても、そこでセックスするとなぜか喪失感が生まれやすいんだよね。

セックスしなくても本来ならよい関係を築いていたはずなのに、したことによってなぜか相手への気持ちが冷めだしてくる。

それは、セックスする前のほうがナチュラルに好きだと相手のことを思えていたのに、セックスしたことで関係が一気にゴールに到達してしまって、これ以上の深い関係はもうないような底の部分を見てしまった気になるからかもしれないね。

セックスに対してネガティブなイメージのことばかり述べて参りましたが、良いことも楽しいことも素晴らしいこともあります。

むしろ、そのような体験ができるように人間は造られているものなんだなーとしみじみ思います。その体験ができるようになるのは、心もしっかり一人前の大人になったときだと思います。

でもここで母ちゃんが娘にセックスの良さを言葉で伝えるのはさすがに気持ち悪がられそうな

ので、いつかあなたが大人になり、あなたの全てを大切にしてくる方と共に体験してくれることを願っています。

だからくれぐれも経験することを焦らないように。

＊＊＊

処女と童貞は恥ずかしいことではない！

さて、問題です。

処女と童貞って恥ずかしいと思いますか？

右へ習え主義の日本だと恥ずかしいと思う人多いと思います。みんなが経験していることなのに自分だけ未経験ってことで委縮しちゃう傾向が強いですね。

じゃあ、次の問題です。

やりまくった自分の体は自慢できますか？

特に男性だと経験人数が多いとテクニシャンと思われがちですが、必ずしもそうとは限りません。自分勝手で思いやりのない動物的なセックスをした結果、一度きりで相手が逃げて行ってるので経験人数だけが増えてしまったパターンが多いです。

そんな男性と一度きりの期待はずれのがっかりセックスをやってしまったあなたの体は何かを得たのでしょうか。

ついでに言えば、イケメンでセックス上手いやつはいません。イケメンはテクニック磨かなくても女性が寄ってきますから、女性を喜ばす努力は滅多にしません。

では、最後の問題です。

心から愛する人と出会い、その愛する人に自分自身をささげたいと思った時、あなたの体は清く尊いものでありたくはないですか？

また相手もそうであってほしくはないですか？

ドキドキの初夜は男性にリードしてほしいから、相手は経験あったほうが良いと思うかもしれませんが、経験あるからと言ってリードが上手いわけでもあなたを気持ちよくさせてくれるわけでもありません。

むしろ、初めての男性の方が余計な知識経験がない分、必死であなたのことを考えてくれると思いますよ。

「え⁉ 処女なの?」とひく男は、あなたに対してただただ責任を負いたくない男です。

「え⁉ 童貞なの?」とひく女は、セックスに対して相手任せの快楽を求めている女です。

処女と童貞は高価で尊いです。相手や自分がそうであるなら、純粋にその価値のある高品質状態でいてくれたことに「ありがとうございます」と頭を下げたいと思います。

＊＊＊

果たして性欲は我慢できるものなのか⁉

食欲、睡眠欲に次いで挙げられる人間の3大欲求ともいわれているもの「性欲」。

その大きさはかなり個人差があるようですが、あなたに強い性欲があり、それで悩む。もしくはあなたはしたくはないのに、相手に沸き起こる性欲にどう対処したらよいか悩むことが出てくるかもしれない。

男と女の性欲は微妙に違う上に、男性の「性欲を我慢する方法」についてはシンプルだけどもう一冊別に本書くくらい長くなりそうなので、女性の性欲という意味で話を進めます。

女の子の場合、「単純に性的快楽が欲しいからセックスしたい」と思う気持ちの性欲ももちろんあるけれど、どちらかと言うと「自分のことを愛してくれる人から触られることで愛を感じたい」が強いんじゃないかな。

好きな相手に近づきたい、触れたい、また触れられたいはごくごく自然な感情だと思う。

ただ少しでも触れたら、次は抱きつきたくなるだろうし、キスがしたくなるだろうし、歯止めはきかなくなります。もちろん相手の男性のほうはもっとストップをかけるの難しいでしょう。

一度この方向に走り出したら、基本止まれないもんだと思ってください。

男性は触られて愛を感じることよりも、快楽優先にすり替わるからです。

女性の性欲は我慢して抑え込むのではなくて、別方法で発散させる、逆の方向に走るのが一番手っ取り早いと思います。

それはスポーツだったり、女友達とのカフェでのおしゃべりだったりね。意外と別のことで満たされます。

でも「単純に性的快楽が欲しいからセックスしたい」と思っているなら、もっと極端なことしないといけないよ。

だって感情抜きでとにかくセックスしたいって、もう完全動物モードだよね。

まず冷水浴びて全力で30キロ走ろ！

冒頭で話した「相手に沸き起こる性欲にどう対処したらよいか」は、あなたがしにくくないなら、もうただただお断りする。それ以外にない。詳しくは次で語ります。

＊＊＊

相手に沸き起こる性欲にどう対処したらよいか

あなたは「まだしたくない」と言っているのにも関わらず、どうやら相手はそうは思っていないようで、目に見えて沸き起こっているお相手の性欲にどう対処したらよいか？は、ずばり相手のために1ミリも期待させない。です。

隙があれば「お？もしかしてイケるんじゃないの？」と男はどこかで甘い期待をしております。

その期待を少しでも彼が持っているのなら、ただじらされていると感じ、遅かれ早かれ怒るか不機嫌になるか冷めるかだよね。

あなたがしなくないのなら、本気でしません！という姿勢を彼に分かってもらわないと、毎回勝手ながら期待をして砕けていく彼の心は失望でいっぱいになり、あなたへの思いは冷めていく可能性はあります。

ただ、男性が好きな相手を目の前にして性欲を我慢するには、確固たる信念がないと、きっと周りがセックスしまくっているこのご時世では乗り越えられないと思う。

そこであなたへの愛が勝つか、それともあなたが先に自分の気持ちを押し殺して負けてしまうのか。

ある意味本当の愛が試されるのかもしれない‼

愛する娘よ。

彼がそんな心の中での戦いをしているところに、あなたがミニスカート＋生足で登場したり、はたまた酔っぱらってかわいい感じになっちゃやたら、彼はきっと抑えきれないでしょう。

ここはひとつオシャレよりも、愛の勝利を応援する姿勢をとるためにしばらくはくそダサい格好をしておきましょう。

＊　＊　＊

「愛してるから」でセックスしたいのは、8割性欲、愛は2割

さて、あなたがセックスしたくないと表明しているのにも関わらず、「したい！」「したい！」と訴えてくるのは何故だと思いますか？

個人差は大いにありますが、まだその気になれないとお断りしているのに「したい」と言ってきたり、「じゃあいつならOKなの？」と、待ちきれてないオーラが出ている男性は性に対する興味とその性欲が強めな状態でいらっしゃるのかもしれないですね。

そこで「どうしてそんなにすぐしたいわけ？」と聞くと、「愛してるからに決まってるじゃないかー！」と言われたところでこの状況で腑に落ちるわけでもなく、「下半身が爆発しそうだからだよ！」だと漏らしてもいない本音までもガッついているオーラの中からポロポロ出てしまいそうです。

愛しているのなら、相手の気持ちを尊重し、待ってあげるだけの忍耐を持ってほしいものです。

そこでプレッシャーをかけるように相手に迫ったり、なんとかセックスする流れに持って行こうとするのは自分本位であり相手のことを考えてはいません。

つまりこちら側は断っているのに、「愛しているから君とセックスしたい」という言葉の内訳

は8割が性欲であり、愛している気持ちなんて2割あるかないかくらいです。

「君のすべてを自分のものにしたいから」といってセックスを迫ってくるのも間違っています。

「したくない」と言っているあなたの心は完全に取り残されているどころか、「君の体は自分のものにしたいけど、心はいらない」ってことになりますね。それは本当に愛していることになるのでしょうか。

好きな相手に触れたいと思うのは自然な気持ちですが、相手がまだその準備ができていないのなら無理強いすることではありません。

「セックスの行為=愛を確かめ合う」はそう感じる方もいるとは思いますが、万人が同じように愛の行為であると完全定義しているものではありません。愛の表現は人それぞれ。

＊＊＊

一度でもOKしたら、次回よりマストな行為になります

彼のこと好きだし、経験してみたいしー。

という気軽な気持ちで一度でもセックスすると、その後彼とのデートでセックスは必ずと言っていいほど「しなくてはいけないもの」になってしまいます。

相手はすれば、一度OKしたのだからもうずっとOKでしょうという認識を持ちます。そして仮に彼が初めての性行為であればその快楽におぼれたり、次はもっとこういうことをしよう！などと思うでしょう。

なので、一番最初のセックスがあなたにとってものすごく嫌なものだったとしても、男性側は「最初だからじゃない？」「これからもっと良くなるって！」と言ってくることでしょう。断言しよう。無駄に回数重ねりゃよくなるものではない。

そして拒み続けたことに対して彼は当然「なぜ？」と疑問を抱き、それから2人の間が気まずくなったり不審に思われたりすることでしょう。

関係を深めようと思ってした行為が、2回目以降を拒否すると関係に溝が生じるとはなんとも皮肉なものですね。

この「しなくてはいけない嫌なもの」となってしまった状況を打破するためには、まず男性側のテクニック向上の努力と女性への思いやりの気持ちが必須です。

そして女性の場合セックスで自分のすべてをさらけ出すわけだから、そこに気持ちが乗っていないのに、マストな行為としてセックスをすると、体だけの空っぽの状態になってとてもむなしくなることでしょう。

自慰行為後の喪失感と同じです。

＊＊＊

セックスのリスク

周りの子が経験していたり、自分の好奇心でしてみたいなと思うことあるかもしれない。

その時は、セックスすることはそんなに大変なことなのか？と思って、わりと流れでしてしまう経験をあなたはするかもしれない。

セックスすることを悪だとは思わないし、むしろ楽しく良いこともたくさんある。たくさんある。たくさんあるんだよ娘!!

ただ、する前にリスクもあることを忘れないでほしい。

セックスのリスク

①妊娠
②性病
③虚しさ

性交渉はその行為自体が子供を作るための行為。避妊も100%じゃない。相手があせってコンドームの付け方を間違うことだってあるし、相手の知識があまりにも乏しくてAV動画や周りの体験談しか聞いたことのないようなレベルならきちんと避妊してくれるかどうかも危ういしね。

そして妊娠以外に忘れちゃいけないのが「性病」。

周りでそんなのかかってる子いないよと思っても、意外と多い。実は性病だったけど、恥ずかしして友達に言えなかったりするんだよね。

彼は浮気とかするタイプじゃないから性病なんて持っていない！と言うのも甘いぞ娘。彼の元カノの彼氏のそのまた元カノからうつされていってることはザラにあるからね。

虚しさというのは、愛情で満たされるだろうとイメージしていたセックスも、そうでなかった場合に「何のためにセックスしているのだろう」と心が乾くことがあります。その空虚さで自分の心が傷ついてしまう精神的リスクもあることを覚えていてください。

＊＊＊

自分の体を大事にすることとは？

正しい知識を持ち、自分の心と体を大事にしてほしい。という言葉はよく耳にします。でもそれって抽象的すぎて結局どういう意味？と思いませんか？大事にしてる、してないのラインは何だろう？考えてみましょう。

あなたがもし恋多き乙女で、その都度「あの時は本気の恋だった」と主張したとしても、その恋の数イコールセックス経験人数では果たして自分を大事にしているといえるのだろうか。

恋したから、お付き合いしたら、だからその関係の延長線上にセックスが必ずあるのはどうして？

この本の中で何度も言っているように、セックスは義務ではない。恋愛の中で必ず「すべき」行為ではない。

何度も指摘しているように、そもそもセックスは子供を作る行為であるからこそ、そこには妊娠するという結果が生まれる。

自分の体を大事にするということは、つまり気軽に触らせない。言うなれば、恋愛関係においてでも気軽にポンポンとセックスしたりしないということだろう。

価値ある芸術品や高価なブランド品がそうであるように、本当に大事なものは、多数の人に気軽に触らせるものじゃないでしょう。それともあなたの体はワゴンセールの中の商品のように、たくさんの人の手で触られてまたワゴンの中に戻されてしまうようなものでしょうか。

若いと自分の体は触られてもし傷ついても大丈夫！すぐに回復できると思ってしまう。

でも本当はそうじゃない。

一度だけの性交渉でも妊娠はするし、性病にだってなる危険性もある。なかには完治しない性病だってある。

自分の体を大事にするために、まずは正しい知識を身に着けることが重要だ。

こんなに情報があふれている時代なのに、「生理中のセックスは妊娠しない」とか「コーラで性器を洗えば精子は死ぬ」だとか都市伝説の類の話がいまだに存在することに驚きだ。そしてその正しくない話を鵜呑みにしている子が多い。

セックスに興味がある年代だと、自分に都合の良い情報しかキャッチしないようなので、「コンドームでさえも避妊に失敗する場合がある」

ということだけは最低限知っていてほしい。

どうか愛する娘よ。

自分の体を大事する第一歩として性に関する正しい知識を持っておくれ。

＊＊＊

男性と2人きりになることについて

ちょっと気になる男性、はたまたガッツリ好きな相手と2人きりになることもあると思います。

むしろ2人きりになって誰にも邪魔されずに、もっと色々お互いのこと話したい！と自然に思うはず。

2人で一緒の時間を過ごすことはとっても大切。将来のことやたわいのない会話で、相手の人間性を見ることができるし、何かを鑑賞したり、一緒にアクティビティを体験することによってお互いの価値観やそれぞれのゆずれないポイント、異なる視点があることもわかってくることでしょう。

でも、2人だけで会うならその空間選びには慎重になってほしい。

ショッピングや映画、ボウリングやプールといった「人の目」があるところなら大丈夫でしょう。

これが人気のない夜の海、車内、ましてや彼の家（部屋）といった場所に行きたいのならそれ相当の覚悟を持って行きなさい。

つまり、そこで体の関係を求められる可能性は十分にあるということです！

でもまぁー、車社会の沖縄だと車内で2人きりを避けるってのは難しいよね。わかるわかる。

現地集合現地解散が一番安全なんでしょうけど、彼に車で迎えに来てほしいもんねー。

体の関係をまだ持ちたくないと思っている場合にはBGMこれにしよう！とか言って、かなり激しめのハードロックかけるとか、神様は見ているぞーという意味で讃美歌を選曲するなどあまりムーディーにならないような何かしらの工大をおすすめします。

＊＊＊

男性の家に行くことについて

2人で会うならその空間選びには慎重になってほしい。と伝えましたが、今回は「彼の家に行くことについて」です。

もうこれはどんな理由があったにせよ、誰もいない彼の家に行く＝無理に性行為を迫られたとしても合意だと思ってください。

そこで「私はそんなつもりなかった」は絶対に通用しないからです。ましてや彼が「何もしないから」と言っていた。も言い訳になりません。男性が何もする気がないのにお家に誘いませんから。それは「何もしないから」と言ってラブホテルに誘われているのと同じだと思いましょう。

本当にお互いにセックスする気がなかったとしても、2人きりの空間にいて何かの拍子にムードができて盛り上がっちゃうことは120%あるのです。

愛する娘よ。

「私はそんなつもりはなかった」とか「キスだけなら良いかなと思ってた」とか生ぬるい考えは捨ててくれ。

彼の家に行く＝襲われても合意のもとでセックスしたとみなされます。

どんなに優しい彼でも、空腹で倒れそうなときにはどんなものでも食べるように、性的興奮してしまったときには理性は飛び、性欲に負けることはあるんだよ。

じゃあ友達同士みんなでわいわい集まってたはずなのに気づけば2人きりになってしまったら？

そんなときは帰ろう。

帰る間もなく彼が迫ってきてしまったら？

あなたがセックスするつもりがないのならお断りして直ちに帰ったらいい。ただし、かわいい感じで断っちゃダメよ。火に油を注ぐようなもんだから。断るなら真顔で！　西郷隆盛のようなごっつい顔で「したくありません」とお断りしなさい。

それでも彼が止まらなかったら？

彼がなえるような言葉を連発しよう。例えば……うんちー！　とか鼻毛びよーん！　とか言うのも悲しいほど低レベルなやつ。悲惨な戦争の話を淡々とし出すのも良いかもしれない。不謹慎だけど、この際自分の身を守ることが一番なんでね。

＊　＊　＊

結婚したあとに相性が合わなかったらどうするの？　とか言うやつは、合わせる努力を「双方で」したのだろうか？

婚前交渉をしない。つまり結婚前にセックスはしません。と言ったときに返ってくることの最も多い代表的な提言で「結婚した後に体の相性が合わなかったらどうするの？」があります。

では、問おう。

「結婚前でお付き合いしているときに体の相性が合わない、セックスの相性が合わなかったときにはどうするの？」

ここであっさり別れますという方もいるかもしれませんが、大半は合わせようと試みたりすると思います。

じゃあ、結婚前だろうか後だろうかやるべき努力は同じなので、セックスの相性が合わなかったらどうするもこうするもないのでは？と思っています。

お付き合いの段階だと確かにどうしても合わなかったから別れるということもあり得ますが、セックスは2人の関係の上にあるものであって決して中心にあるものではありません。

別れの理由の全てがセックスだけではないはずです。いろんな要因の中の1つにすぎないでしょう。どちらか一方が2人でしている行為に対して不満があるのなら、そこを双方で話し合い、解決策を見つけなくてはいけません。2人の共通する項目について話し合い、双方が互いのために思いやりを持って努力をすることはセックスに限ったものではなく、例えば経済観念にしろ時間の使い方にしろ同じことです。

女性の方でセックスに関して「相性が合わなかったらどうするの?」と言ってくる方は、おそらく自分だけで努力したり我慢したりと、相手の協力を得られなかった経験がある方だと思います。男性で「結婚前に体の相性を確かめないと結婚できない!」と言っている方はセックスする上に「いかに自分が満足できるか否か」を軸に考えている奴です。

繰り返しますが、2人でする行為なので2人で合わせるようにしなくてはいけません。

愛する娘よ。

体の相性が最初の一発目からバッチリ合うことなど、ほぼないと思ってください。だいたいが徐々に合っていくものなのです。双方で愛を持って時間をかけて努力すれば、特殊な性癖をお持ちでない限りクリアできるものです。

第四章　セックストラブル

体の快楽、心の快楽

セックスは男性器を女性器に挿入することです。と、学校の性教育の時間にもこのように習うと思いますが、あらためて文字で書くとなんとも淡々としていることでしょう。

いきなり挿入されては、女性側はただただ痛くて苦痛なだけなので、セックスする前にはキスをしたり相手の体を触ったりいちゃいちゃして性的な興奮を高めないと女性は受け入れにくいものです。

実はその愛撫の時間が挿入時よりも相手の愛を感じる。大切にされていると感じる女性が多いものです。

セックスは身体的な刺激で得る気持ちよさだけでなく、相手のぬくもりや、愛情を感じることもセックスでの快楽の１つだと思います。

女性の体はこの心の快楽を感じることがなければ、なかなか体の快楽に繋がってくれません。

体の快楽よりもまず先に心の快楽を得ると良いでしょう。

しかし前振りが心地よいと、いざ挿入したときにはもっと快感が得られるのではー!?と期待してみたら……初めての時はただただ痛かったり、想像していたような絶頂感いわゆるオーガズムはなかったりすることでしょう。

最初から挿入でオーガズムを得る女性はごくごくまれです。

最初でなくても、例え結婚して数年経っていてもオーガズムを体験できない場合もあります。

挿入以外でもオーガズムを味わうことはできるので、他のことであなたが気持ちよいと感じていることがあるなら、焦らずにお互いの性感のツボを探し当ててください。

＊＊＊

男性のＡＶ脳を破壊しよう

セックスはどうしても男性側がリードするイメージがあるよね。

男性は大変だなぁと心底思います。

そんな男性がセックスに馴れていないときに参考にしがちなのがＡＶ動画。

そもそもＡＶがなぜ18歳未満の視聴禁止なのか知っている？

ＡＶは基本男性の性欲を満たすために作られたものがほとんど。だからＡＶに出てくるシチュエーションや女優さんの立ち居振る舞いは、男性の性的興奮を促すために作られているのよ。

だから時には暴力的だったり、あり得ない状況だったり、女性側は良し！と思わない内容がＡＶには多い。

でも今のインターネットを取り巻く環境だと18歳未満禁止どころか、15歳でも10歳でもＡＶ視聴できちゃう恐ろしい時代。

そしてそれが男性の脳に「本物のセックスもこうすれば良いんだ！」とインプットされることが多いから困る。

男性が興奮する行為をそのまま女性にしたところで、その行為で「愛されてるわ私！」と感じる人はあまりいないはず。

だからもしあなたがセックスの行為で嫌だなと思ったり、身体的に痛みを感じたりするのであれば、まず相手に植え付けられたＡＶ脳を壊してあげよう。

彼が「ＡＶではこうすると喜んでいた。だからあなたにもそのようにした」ということなら、きっとあなたを良くさせてあげたい気持ちがあるので、本当はあなたのためにどうしたら良かったかを再構築してくれるはず。

「えー、女の人ってこうしたら気持ちいいんじゃないのー?」などと言ってきたら、笑顔で「本当はそうじゃないから、訂正しているのよ」と優しく伝えてあげてね。そこでめんどくさそうにしてたり、直す気配がなかったら、相手はあなたをAV動画の実写版、性欲処理にしていることに気づきましょう。

でもね……男性って特にセックスに関してはナイーブだから、言い方には気を付けて! 彼が自信を失ったりしないように、前提として「2人のためのセックスだから。2人が良くなるための訂正箇所なんだ」と。

＊＊＊

セックス中の演技は「演出」である

セックス中の俗にいう「本当は気持ち良くないのに、気持ちよいフリしている」という女性の演技ね。

これ「女性はみんな演技してるよね」と、あたかも悪いことのように問いかけること多いけど、それは相手がそうすると喜ぶかなと思ってのことだったり、はたまた自分の気持ちを高ぶらせるためのことだったりするから、決して悪いことではないと思うんだよね。

2人のためになるのならそれは演技ではなくて「演出」。

相手が自分のためにしてくれていて、その気持ちを汲んで返したい。

そして自分のテンションも上げるために必要だったりするときもあるのかもしれない。

それらすべては2人でするセックスをよりよくするためのことなら、部屋にムーディーなアロマキャンドルを準備するのと同じことだと思うんだよね。

だからオーバーにとっている自分自身のアクションに罪悪感を感じる必要なないのです。だってそれは「2人のための演出だから」。

もちろん苦痛を伴うような行為での演技は全くもってする必要はないよ。

そんな演技の演出中にでも最中にも集中力切れて、「明日の予定何だっけ?」と違うことを考えちゃうのはザラにあることでしょう(笑)。

ちなみにオーガズムの演技を毎回するのは個人的に良くないと思っています。

女性のオーガズムは男性が射精するのと違い、物的証拠が出ないもの。男性側は女性がオーガズムに達したと言う申告を素直に信じちゃうから、今後の2人のセックスをより良いものに発展させることを考えると虚偽申告は控えたほうが良いでしょう。

＊＊＊

自慰行為後の喪失感

性欲を発散させる方法として、自慰行為があります。

その字の通り「自分で自分を慰める行為」です。

あらためて書くと、なんだか虚しい感じがしますが、まさにその通りです。

したくてしたくてたまらなかったはずなのに、自慰行為をした後にはなぜか喪失感が出てくるのです。

女の人の性欲の中には性的快楽をひたすら求める思いと、愛する人からの愛を感じたいの2つがあると思います。

喪失感が出ることによってあなたは性的な満足を得たいわけじゃなく、愛されたかったんだということに気づくでしょう。

この喪失感は自慰行為だけじゃなく、セックス後も特に女性は感じることがあります。

それはまさに今した行為が愛を確かめる行為ではなく、性的欲求を満たすだけの自慰行為に近い内容で行ったときです。

でもまぁ、特に長い長い結婚後の夫婦生活では毎回毎回「愛を確かめ合う云々……」なんてことできませんので、そういう性欲処理的な日もあるもんだと思っていてください。

＊＊＊

裸の画像を要求されたとき

甘い言葉で求められて、ついつい裸の写真を送ってしまった。また撮られてしまった。

これからの時代大いに増えていくことでしょう。

好きでもない相手に送ることはもはやバカとしか言いようがありませんが、好きな人からの要求ならどうする？

彼だけが見るから良いんじゃない？と思っている？

良い……わけがない!!!

大企業に保管されているクレジットカードの情報でさえ流出しちゃうこの時代に、なぜネットワークセキュリティーのプロでもない彼の携帯からあなたの裸の画像が絶対に流出しないと言い切れるのか？

送ってしまった、もしくは撮らせた時点でネット流出覚悟してください。

それが全世界でなく、彼の身の回りの友達間で出回っちゃったらある意味もっと最悪。

彼が大好きな彼女の裸の写真を欲する気持ちはわからなくもないけれど、本当に相手のこと大事に思っているなら、自分の欲を満たすことよりも、あなたが危険に晒されることはしないんじゃないのかな。

愛する娘よ。

別れた後に腹いせにリベンジポルノで故意に流出させる人もいるわけなんで、撮らせない・撮らない・送らないでいてください。

一度ネット上に上がると一生消せないものです。

ちなみにＳＮＳに自分の顔を不特定多数の人に出すことも、顔のアイコンだけ抜き取られて、首から下は別の誰かの裸の写真と合成させて出回ることもよくあるようです。

＊　＊　＊

そもそも外出しは避妊じゃない

学校で性教育の授業で習うことの１つ「避妊」。

避妊しましょうーと言ってるけど、もっとストレートに「セックス時にはコンドーム使いましょう」と言っても良いと思うんだ。

その他の避妊法、ピルとかペッサリーもあるけれど、日本だと一番手軽なものがコンドームだよね。今はコンドームはコンビニやドラッグストア、スーパーでも五百円〜千円程度で年齢確認なしに買うことができます。

が、しかし……。

ＡＶの影響から始まってるのか、ゴムをつけずに「外に出してるからこれで避妊は大丈夫」といった輩が悲しいことに普通にウョウョいるんだよね。

断言しよう。

娘よ、そもそも外出しは避妊じゃない！

セックスするということは、子供を作る行為をするということ。

男性器が膣に触れれば、大胆な射精はなくても、興奮した男性器についているカウパー液で妊娠することもある。

っつーか、そもそも興奮している中、射精しそうになってそれをタイミングよく止めて体外で排出する技など失敗も大いにあるんだよ。

もしも彼が突然、「飛行機の運転って昔から憧れていたんだよねー。ちょっと運転してみるから隣に座って！　一緒に大空へ飛び立とう!!」と言ってきたら、あなたは「素敵!! 彼の夢を叶えてあげなくちゃー☆」などと思いますか？

率直に「バカなの？」と突っ込みたくならないかい？

彼が「大丈夫だよ。ずっと飛行機の操縦ゲームやってきたから、操作の仕方はバッチリなんだって！」と言ってきたとしてもその飛行機に乗れないのが普通の感覚だと思います。

それと一緒。

外出しを避妊だという男は、ＡＶやエロ漫画に憧れてあなたを道連れにしたいだけ。

過去に外出しで妊娠させたことはない主張も、それが本当の実績だったとしても、次に即・失敗する可能性は十分にあります。

＊＊＊

「愛してるから」で生でしたがるのは、１００％性欲

前回に続き避妊せずにセックスする話。
「愛してるから生でしてもいい？」というセリフを聞くことがあります。
声を大にして言おう。
「はあ!?」
さて、冷静に変換してみよう。
愛しているから避妊しなくてもいい？は

変換①もし子供ができても責任とって結婚するから
変換②大丈夫！ちゃんと外に出すから

変換②に関しては、前記した通りの「バカが大空へ飛び立つ予告」ってことよね。

外出しは避妊じゃないですから。

掘り下げたいのは変換①。

もし子供ができても責任持つから！という意味で「愛してるから生でしてもいい？」って言ってきてるなら、まずその言葉に責任感がなさすぎるよ。

そんな覚悟を本当に持っているなら、裸になって今まさに挿入しようとしているときに言わないよね。

下半身丸出しにしたその状況で自分のあふれ出る本当の「愛」の気持ちを伝えないよね。

娘よ。はっきり言って、「愛してるから生でしてもいい？」の言葉に愛などない。

そこには１００％の性欲しかない。

少女マンガのような「愛しているからゴム一枚の壁もとってあなたを感じたくて……」の言葉は、「ゴムしていてもそれなりに気持ちいいのに、ただただもっと快感を深めたいからゴムなしでもいい？」ってことだよ。それは男の快楽であって、あなたへの愛情ではございません。

＊＊＊

もし妊娠しても産むわ！　結婚するわ！　は、あなた一人で勝手に思ってない？

セックスするリスクとして、避妊したとしても妊娠する可能性はあると話しましたが、あなたの頭のどこかで、「万が一妊娠したら、その時は彼と結婚して赤ちゃん産みます‼」と思っていないかしら？

赤ちゃんを産むこと。そして一人の人間として育てることの大変さを伝えたい気持ちにもなりますが、それは今は語らずに我慢するとして……妊娠してしまったら結婚して子供を育てていく気持ちは、あなたの脳内だけにあるものではなかろうか？　相手の男性はあなたと同じ熱量で、本当にもしも妊娠したら……を考えているのだろうか？

あなたたちが若ければ若いほど、心のどこかで「まさか妊娠するわけがない」と思っていることでしょう。でも生物学的に若ければ若いほど妊娠の確率は高いのです。もちろん避妊の失敗も。

だから雰囲気でセックスする前に立ち止まってほしい。その万が一が起きた時、二人はどうするのか?

あなたが「きっと彼は責任をとって結婚してくれる」なんて決めつけずに、彼の本当の気持ちを聞いていてほしい。

愛する娘よ。彼の本当の気持ちは彼にしか分からない。そこを恐れずに聞いて話し合うことが、セックスすることよりももっと互いに深く分かり合うことになると思う。

＊＊＊

セックスがそんな好きじゃないというときは

学生時代、「セックスの行為自体好きじゃないんだよねー」

という女友達がちらほらいた。

「なんで?」と聞くと、大半は「そんな良いもんでもないし」と返ってきた。

そんな良いもんじゃない。

つまり、気持ちよいわけではない！ってことだったんでしょうね。

そんなとき声を大にして言っていたのが、「女性が付き合っている相手とのセックス嫌いになるのは、彼の責任だ！」と。

振り返ってみてもそれは間違ってないと思う。

だって彼がちゃんと彼女のこと思いやって心も体も満足させてあげていたのなら、彼女はきっと嫌いになってないと思うんだ。

だからそれは、相手側が悪い！

ついでに女の子がセックスを「嫌い」ではなく、「好きじゃない」という表現を使うことに思いやりを感じたね～。

だってきっとこれは彼のこと好きだから否定はしたくなかったんだろうね～。

ここで彼女がセックスを「好きじゃない」から「嫌い」になる前に、男性側は努力してあげてほしいなと思います。

それはセックスでのテクニックレベルをあげろってことではない。

彼女が「今日はしたくない！」と言えば、「なんで？」と聞かずに即その気持ちをまずは受け入れろ！

したくないのに仕方なくする行為はそりゃあ嫌いにもなりますって。

そこで「じゃあ、いつならいいの？」と聞き返す男はマジで自分がヤることだけしか考えていない。

＊＊＊

お互いにどうしたら良いのかを話し合えない関係ならやめとけ娘

前回、「セックスの行為自体好きじゃないんだよねー」という女性がちらほらいるという話を書きましたが
そこから踏み込んで「じゃあどうしたら良いか？」ってことだよね。

これはハッキリ言って、相手に柔和な心がないと無理。

男性側は射精してスッキリ顔してるところに、「実は……満足してないんですけど」というドでかい爆弾発言を投下するわけですから。

でもそこで改善しようとしてくれる相手なら、本当にあなたのことを考えてくれる人ってこと

だと思う。

逆に改善しないような奴なら……正直サヨナラしちゃえと思う。

だって何のためにセックスしてるの？

夫婦じゃない限り、「子供作ろうと思ってやってます！」とはあまりならないでしょう。

お互いもっと分かりあいたくて、深く付き合いたくてセックスしてるはずなら、不満分子生み出してどうするんだい。

それは相手に対して技術的に下手とか言うことじゃないのよ。

より良く改善するためにこうしてほしいとか、セックスする中でこれだけはどうしても嫌だと思うことを話すこと。

セックスするもしないにも拒否権があるように、その内容自体にも拒否権があると思います。

彼はこうしたくて、でもあなたは「それは嫌だ」「苦手だ」と思うならその気持ちを相手に伝えましょう。

思いやりや優しさで相手のリクエストに応える範疇なら良いけど、苦痛を伴うようなセックスの内容ならしっかり嫌だと言いましょう。

嫌な行為を嫌な気持ちのままでしていると、きっと後々セックスすること自体が嫌になってくると思う。

2人でするものは、2人で作り上げていくものです。

セックスに「みんながしていることだから」とか、「当たり前の手順」とか「○○すべき」はないのです。

男性は言わないと分からないものです。

セックスのやり方について相手に何かを言ってしまうと、男性として自信を失わせるのでは？と心配するかもしれませんが、そんなにどぎつい言い方をしない限り大丈夫です。相手が心からあなたを愛しているのなら、あなたを満足させてあげたいと思っているはずです。

愛する娘よ。

相手に「そんなこと話せなーい」というのなら、関係性も深まらないセックスなんて妊娠と性病のリスクだけをただただ高めているだけに過ぎないのだからもうやめとけ。

＊＊＊

相手にもっと好きになってほしいからとセックスした結果

なんとなくあなたに好意はあるであろう相手から、もっともっと愛されたい！と思いセックスするとどうなると思いますか？

相手にもっと好きになってほしい気持ちから始まったそのセックスは、終わったころには相手は冷めていることでしょう。

お互いに愛し合っていないのに、気を引く武器としてセックスをしてしまうと、男性はそこでもう恋愛の最終目標である「セックスすること」を得てしまっているので、これ以上好意が増すことはありません。

男性の恋愛上での気持ちは確固たる愛情がない限り、セックスする直前が好意のバロメーターのピークに達しています。

なので終わった後は、下がるだけ。

そして悲しいことに女性はなぜか相手への気持ちが倍増していきます。

次にもし彼があなたのことを呼び出したとしたら、完全にセックス目的であって、あなたの心はどうでもいいのです。

タダで性欲処理ができる好都合な女を手に入れた彼はラッキーですね。

そしてそんな女にあなたはなりたいですか？

都合のいい女になりたくないのなら、セックスで相手の心を振り向かせたり繋ぎ止めたりすることはするべきではありませんね。

例えあなたがどんなに「男性を虜にする自信のあるテクニシャン」の自負があったとしてもです。

＊＊＊

彼に嫌われたくないからセックスを断れない

好きな相手には嫌われたくないものですよね。できれば相手の望むことに応えてあげたいと思うでしょう。

でも相手に嫌われたくない一心で、自分の気持ちを殺してまでも相手を繋ぎ止めておく必要はあるのでしょうか？自分はセックスしたくないけど、断って相手に嫌われたくない。という気持ちでセックスをする関係性は正しいのでしょうか？

あなたはどんな関係を望んでいるのでしょうか？

「彼に嫌われたら生きていけない!!!」

少女マンガやドラマに出てきそうなセリフです。

大丈夫。生きよう。彼の性欲の犠牲になることがあなたの生きる糧になるわけじゃないから。

そもそも嫌われたくないからと言って、セックスしたところで好きになってもらえるとは限りませんよ。

愛する娘よ。

あなたを尊重する気持ちよりも、自分の性欲処理が上回ってしまう男はあなたのことを大切にしてくれると思うかい？

自分がしたくないのならはっきり断ろう。

そしてなかなかセックスしてくれないあなたを前に、彼の態度が徐々にそっけなくなってきたら、それは残念ながらあなたの心に興味がないのです。

そんな男はその後、「僕のこと好きじゃないの？ だからしたくないの？」と言ってくると思うんだ。

嫌われたくないからといって何でも「ハイハイ」と相手の言うことを聞くのではなく、好きな相手だからこそ自分の気持ちを分かってほしいものではなかろうか。

向き合って話し合うことから逃げないで、立ち向かっていこう。

＊＊＊

夏は股を開きやすい説

暑い夏。

特にここ沖縄では早い場所で4月末には海開きし、元気な方は11月まで海で泳いでいたりしますね。

暑いとどうしても薄着になり、肌の露出も高まります。

そこで気になるのが、露出度の高いファッションをしたときの男性目線。

個人的にファッションは人に迷惑をかけないのなら、好きにして良いと思う（そもそも人に迷惑をかけるようなファッションってどんな格好だ⁉）。

けれど「人に見せるためじゃなく、自分がかっこいいと思うから素敵だと思うからこうして肌出してます！」と主張したところで、人はあなたの出してる部分を見るものです。見せるために触らせるために出してるわけじゃないのなら、そのような格好をしたときは男性の性的興奮を刺激しているということを忘れずに。

難しい言い方ですか？　簡単に言うと、

隣にいる男性はずーーーーーーーっとあなたに触りたいと思っている。ということです。そして「それだけ露出しているんだから、触ってもＯＫってことだろう」と都合よく考えて積極的に近づいてくる人もいます。

さらに夏は開放的なイベントも多いです。体と心は連動しやすいので、オープンスタイルな服を着ているときには心もオープン、勢いでお股もオープンしてしまい、その場のノリや勢いでセックスしてしまったと後悔する夏にしないようにしましょう。

暑いと、正直ムラムラしやすくなります。それは男性だけでなく女性もです。

沖縄の長い夏。

夏はムラムラしたムードに陥りやすいことを覚えておきましょう。

＊　＊　＊

もしもあなたの心と体が誰かに傷つけられたとしたら

もしも誰かがあなたの気持ちを無視して、あなたの体を触ってきたり、レイプしてきたのなら、
それがどんな状況であれ、
どんな立場の人であれ
許してよいものではありません。
そして、
どんな状況であれ、どんな立場の人であれ、
あなたに落ち度はありません。

愛する娘よ。
あなたの体は清いままです。
あなたの体は大事なままです。
あなたは何も悪くありません。

あなたが今感じているその感情は何も間違ってはいません。

第五章　性教育はセックスの話だけではない

親子で性の話をする必要があるのかどうか？

昨今では性教育をまじめに「生きるための必要学」としてとらえている方や教育現場も増えつつあるように感じます。

しかしまだまだ学校ではそこまで深く性について話されることはなく、生理のことや妊娠するための過程を一方的に説明して終わってしまうことが多いでしょう。

恋や性についてはその関心度や、聞いたり話したりすることの羞恥心に個人差がとても大きく、かつプライベートな心情も関わってくることなので、信頼関係のある親子間で話し合うことができれば良いのではと私は考えています。

それは、性の話を大っぴらに、かつ大胆に話し合おう！ということではなく、子供のことを一番よく知っている親だからこそ、自分の子供の心の状態を見極めて、話す時期と内容を選び、少しずつ教えていけたら良いのではないでしょうか。

大人が下手に誤魔化したり、「まだ早い」「そんな話はダメ」と言って恋や性の話をしてはいけないもののように扱ってしまうと、実際に子供自身が人を好きになったときに、自然発生した恋愛そのものの感情や性欲がまるで悪いことのように思えてしまう危険があります。

性について学ぶということは、何もセックスだけについて考えるということではありません。人が誰しも持っている「愛し、愛されたい気持ち」や、「自分や相手を大切にすること」また「生命へのつながり」といった人間にとって非常に身近で必要なことを考えていけると思います。

自分の子供と性の話をすることを恥ずかしいと思う方や、どこから話して良いのか分からないという方もいらっしゃると思います。

まずは、自分を大切にする、自分の体を守るという観点から、体のプライベートゾーンについて話してあげてみてはいかがでしょうか？

＊　＊　＊

※子供が被害にあう性犯罪の加害者は、実は他人よりも顔見知りであったケースが多いと言われています。

女性の体と生理の始まり　―生理が始まる前の子供向け―

生理が起こる仕組みと生理の役目を簡単に説明します。

女の子の体は成長していくにつれ、胸が膨らみ始め、わき毛や陰毛が生えてきます。

わき毛は恥ずかしいと思うなら剃ることもできますが、陰毛は恥ずかしいからと言ってこっそりと剃ると誤って大事な性器を傷つけてしまうことがあります。

陰毛さんは大事な性器を守る役目を担って生えてきているのですから、あなたが完全に大人になるまでは陰毛さんに守備のお仕事をしてもらいましょう。

女の子の体には、膣といっておしっことうんちが出るところの間に大切な穴があります。そこからおりものといって少しべたべたする鼻水のような白っぽい液が出てくることがあります。これは「そろそろお姉さんになる準備しようかなー」という体の合図とも言われています。

そして生理が始まります。

生理が始まるということは、赤ちゃんのもとになる卵が、いつか赤ちゃんを授かる日のための練習を始めたということ。この練習期間（生理）は個人差はありますが、約1か月に一度数日間あります。時には生理痛と言ってお腹が痛くなることもあるでしょう。その時は無理せずゆっくり休みましょう。

将来赤ちゃん、一人の人間をあなたの体の中で作り出し生み出すのはとても大変なこと。

そして産んで育てるのも、その何十倍も大変なことです。

でも大変だけど、素晴らしいこと。

いつか来るその素晴らしい日のために、体だけじゃなくあなたの心もゆっくり整えていけると良いですね！

＊＊＊

セックスから妊娠、出産に至るまで　—少しお姉さん向け—

セックスをすることは単に性的快楽を得るためではなく、命を作り出す最初の行程でもあります。

一般的にセックスすることとは、男性器を女性器の中に挿れることを指します。そして男性が精子を女性器の中に放出する「射精」をすることで、精子と卵子が出会い、くっつき、妊娠することができます。

生理（せいり）のしくみ

1 まず、神様があなたの体に**卵子**（らんし）という**赤ちゃんのもとになる卵**をもうすでに入れてくれています。

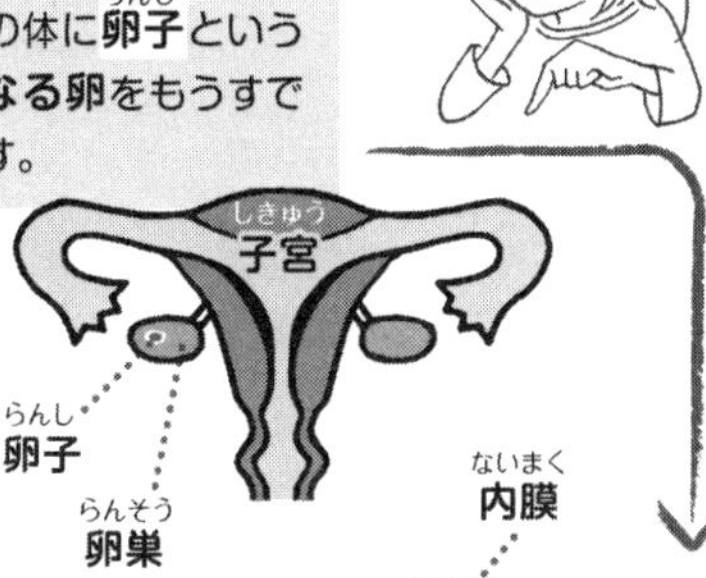

2 その**卵子**は
あなたが大きくなるのと同じように、**約1か月に1個大きくなる**ようにプログラミングしてあります。

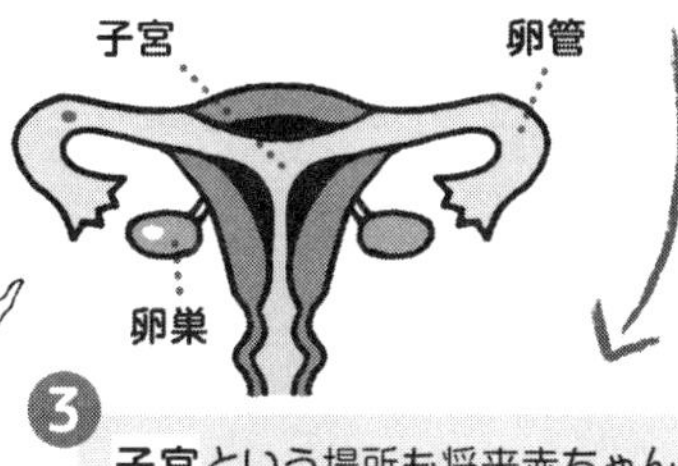

3 **子宮**という場所も将来赤ちゃんになる**卵を優しく迎えるために膨らみ**、ふかふかベッドを作る練習をします。

ふか
ふか

4 **卵子**は成熟すると**卵巣**という場所から飛び出し、**卵管が卵子をキャッチ！**しばらくの間、**精子**（せいし）という男性がもつ**命の種**が来るのを待ちます。

らんかん
卵管

5 精子を待つ練習を無事終えると、卵子やベッドは一度お片づけ。体の外に**血と一緒に出てきます**。これが**生理**です。

実際に男性器を女性器に挿入するのは結構大変なことです。二人で気持ちを確かめ合うために甘い時間を過ごし、ゆっくり時間をかけたつもりでも、痛くてなかなか挿入できないこともあったりします。

特に女性側は男性器を受け入れるための性的興奮を得るのに時間がかかったりすることも多いので、試行錯誤するうちに気持ちがすっかり冷めてしまうこともあります。

例えセックスの途中でも、止めてほしいと思ったらその気持ちを相手に伝えましょう。

さて、男性が射精をし、精子と卵子がくっついて1つの受精卵になり、受精卵が細胞分裂を繰り返して、子宮に着床すると「妊娠」のスタートです。

この後、大きさ1ミリ前後の受精卵に何か月もかけて目や耳、体の器官などがつくられ徐々に人の形になっていきます。

しかし妊娠が成立してからもトラブルはあるものです。

妊娠中は悪阻（つわり）と言って、気分が悪くなったり、嘔吐したり、入院するほど重い悪阻になる人もいます。

しっかりと赤ちゃんが育ち、お腹がどんどん大きくなってきたら、今度は夜しっかりと眠れなかったり、腰痛に悩まされたりと、体の悩みはつきものです。

ここ（女性器）に勃起した男性器を入れます。
男性器は興奮して勃起すると約 13 センチほどの大きさになります。
女性でも身長、体重、胸やウエストのサイズが人それぞれ異なるように、男性器の大きさも人によって異なります。

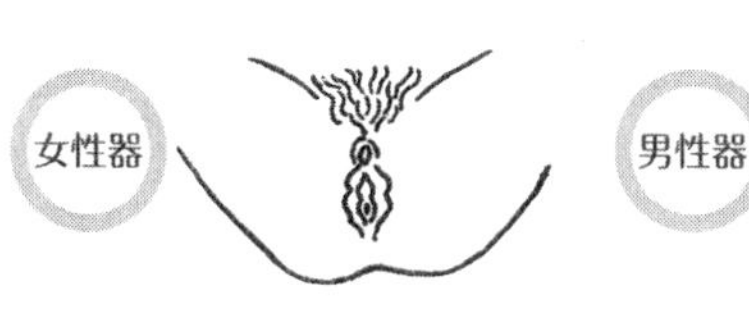

妊娠中の赤ちゃんの成長

妊娠 **4 週目**あたりで**心臓**ができます

4 か月後には**髪の毛**も生えてきます

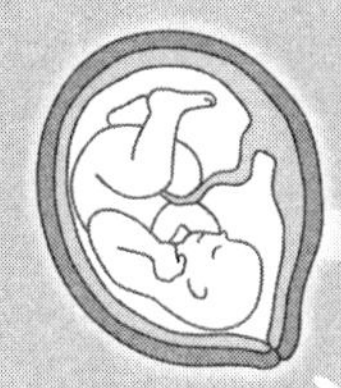

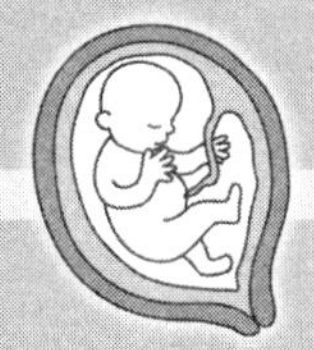

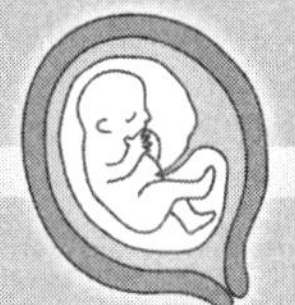

妊娠した後は、**病院で定期的に検診を受けて**赤ちゃんの成長を確認することができます。
わずか1ミリ程度の受精卵がおよそ **10 か月後**には **50 センチ**ほどの赤ちゃんに育っていく過程に、生命の神秘さ、不思議さ、そして愛おしさを感じます。

たくさんの不調と不安の中、女性は少しずつお母さんになる準備をしていきます。

今は出産方法も、痛みを軽減する無痛分娩や、母子の安全を考えた上での選択帝王切開など様々ですが、セックスから無事出産に至るまでの過程は決して簡単なものではありません。

だからこそ命が無事にこの世に生まれてくることは奇跡的な恵みに値するのです。

＊＊＊

母たちへ。

自分のお腹に生命が宿り、
それは直接目では見えず触れることもできず、
にわかに信じがたくとも、確かに何かを感じることはできる時がきて、
日に日に増えていく命の重みと
不安やうれしさを何か月も味わったのち、
ようやく抱くことのできた我が子。

そこからは母として本当に一生懸命な日々を過ごされたことでしょう。まだ子供だと思っていた自分の娘が、幼稚園や小学校といった集団社会生活をおくるようになり、母が知らなかった新たな一面を見せてくる。

その中で「どこで仕入れたその情報⁉」と驚くような発言もたくさん出てくるはずです。まだ子供、ではなく、もうこの子の人生はとっくに始まっていて、母の手を離れる時間が増え、母の見えないところでたくさんのことを学び吸収していっているのだと切り替える必要があるでしょう。

それは決してキレイなことだけじゃなく、まだ知ってほしくなかった悪いことや家庭ではタブー視していたことも、学んでいるはずです。まだ子供だから恋や性のことを知るには早い、のではなく、子供の成長は「恐ろしく速い」のです。

まずはご自身が子供だった時の頃からその後の青春恋愛時代のことを思い出していただきたいと思います。

初恋の時期があり、長く片思いをしていた頃もあったでしょう。初めて彼氏ができた年。初体験。自暴自棄になった苦しい恋愛。軽率だった後悔談や周りを本当に傷つけてしまったバカな過去。そんな恋や性にまつわる思い出がそれぞれにあると思います。

自分の娘も同じような体験をこれからするのかもしれないと考えた時、ご自分の過去の恋愛・性体験を踏まえて、「こんな思いは自分の娘にはしてほしくない！」とか、「ここ気を付けないと後々とんでもないことになるぞ！」という、アドバイスを思い起こして、ぜひ自分の娘を守るための恋愛や性的関係について話すきっかけになればと思います。

娘を持つ母たちへ。

知識は自分の身を守ることに繋がります。

しかし恋愛関係に関して100％の正しい理論はありません。

ですが子供の性格を誰よりも一番知っている母だからこそ、女の人生の先輩として、「恋について」「性について」を愛する娘がより幸せになるために今から伝えておきたいことを考えてみませんか？

この本を出版するにあたり、寛容な心を持ってくれた夫へ、心からの感謝と愛を♡

娘に伝えたい恋愛のこと、性のこと

2021年12月25日　初版第一刷発行

著　者　泉　智恵
発行者　池宮　紀子
発行所　（有）ボーダーインク
〒902-0076
沖縄県那覇市与儀226-3
tel.098（835）2777
fax.098（835）2840
印刷所　でいご印刷
ISBN978-4-89982-415-2